D1409567

Bibiana y su mundo

Premio Barco de Vapor 1982

José Luis Olaizola

ediciones sm Joaquín Turina 39 28044 Madrid

Colección dirigida por **Marinella Terzi**

Primera edición: mayo 1985
Decimotercera edición: septiembre 1994

Ilustraciones y cubierta: *Ángel Esteban*

Ediciones SM
Joaquín Turina, 39 - 28044 Madrid

Comercializa: CESMA, SA - Aguacate, 43 - 28044 Madrid

ISBN: 84-348-1613-X
Depósito legal: M- 27501-1994
Fotocomposición: Grafilia, SL
Impreso en España/Printed in Spain
Imprenta SM - Joaquín Turina, 39 - 28044 Madrid

A mi hija Fátima,
que fue la que mejor
conoció a Bibiana

BIBIANA había nacido en un pequeño pueblo tan próximo a Madrid que con el tiempo se había convertido en un barrio de la capital, muy elegante, con casas rodeadas de jardines.

De pequeña, todos la conocían, la llamaban Bibi, entraba y salía por las casas como si fueran suyas, y en la pastelería tomaba dulces sin pagar. Los vecinos se compadecían de ella por ser huérfana de madre y porque su padre, además de no trabajar, se pasaba borracho gran parte del día y todas las noches sin excepción.

Tenía entonces cinco años, y, de saberlo, se hubiera asombrado de la compasión que sentían por ella. De lo de su padre no se daba cuenta, ya que pensaba que todos los padres eran así: por las mañanas, serios y quejumbrosos; por las noches, muy alegres.

Como veía que en las casas eran las mujeres las que cuidaban de los hombres —les daban de comer, les lavaban la ropa...—, aprendió a hacer estos trabajos para su padre.

La enseñó la señora Angustias, una vecina muy mayor que, de acuerdo con su nombre, siempre estaba angustiada. Cuando veía a Bibi hacer los trabajos de la casa, largaba unos suspiros estremecedores y no se recataba de mirarla compungida:

—¡Pobre hija!

Al decirlo, se le llenaban los ojos de lágrimas; pero esto no le extrañaba a Bibi, porque también lloraba con las novelas de la radio y las series de televisión.

La señora Angustias le suplicaba al padre de la niña:

—¡Rogelio, tenga compasión de este pobre ángel!

El ángel era Bibi, y entonces, por la noche, su padre se compadecía y la acariciaba en forma de cosquillas, muy suavecito, hasta que se dormía. También le contaba cuentos. Unas veces eran divertidos y otras tristes, pero todos tan buenos que los chicos del colegio se quedaban embelesados cuando ella, a su vez, se los repetía.

La profesora le preguntaba:

—¿Dónde aprendes esos cuentos?

—Me los cuenta mi padre —contestaba Bibi muy satisfecha. Se quedaba asombrada de que la señorita Tachi, en lugar de admirarse y alabárselos como hacían los niños, endureciese su rostro y musitase:

—Más le valía cumplir con su obligación como los demás padres.

Bibi no entendía lo que quería decir con eso. Los padres de los otros niños no sabían contar cuentos y, además, estaban casi siempre muy enfadados. Algunos, incluso, pegaban a sus hijos. Para colmo, la mayoría de ellos se pasaban el día fuera de casa porque trabajaban en Madrid. En muy pocos años, el pueblo se había convertido en un barrio de la capital, rodeado de urbanizaciones preciosas, con jardines, edificios y chalés de gente que llegó de Madrid, que estaba tan sólo a catorce kilómetros.

En cambio, su padre siempre estaba a su disposición: o bien en su casa o, lo más lejos, en la taberna.

—¡Qué vergüenza —se lamentaba la señora Angustias—, que esta pobre niña tenga que ir a buscar a su padre a la taberna!

A Bibi no le importaba hacerlo —tendría ya unos diez años—, porque la taberna estaba a dos manzanas de su casa. Tampoco le gustaba demasiado, porque no todos los borrachos eran como su padre. Algunos gritaban, peleaban, decían palabras horribles, incluso blasfemias. Su padre, apenas la veía entrar en la taberna, le decía:

—Espérame fuera, Bibi; enseguida salgo.

Y cumplía su palabra. Salía rápido, aunque fuera tambaleándose.

Desde que iba al colegio, sabía que su padre era un borracho porque se lo dijeron varios niños de la clase. Pero no estaba segura de si eso era bueno o malo. O pensaba que los había de una y otra clase y que su padre era de los buenos. Una noche, cuando era pequeña, se lo preguntó:

—Papá, ¿qué es un borracho?

El hombre se quedó perplejo, como cogido en falta.

Era una noche en la que estaba muy simpático. Le había contado unos cuentos muy interesantes y, además, había rezado con ella las oraciones de antes de dormir, cosa que no siempre hacía.

—Es que... ¿te han dicho que yo soy un borracho?

—Sí, claro. Lo saben todos.

El hombre se quedó pensativo y le aclaró:

—Mira, hija, yo no es que sea, propiamente, un borracho. Lo que ocurre es que tengo como un dolor aquí —se señaló el corazón— que sólo se me pasa cuando bebo.

—Entonces, estás enfermo del corazón, ¿no?

—Bueno —balbuceó el padre—, no exactamente. Sólo he dicho que tengo como un dolor.

—Y... ¿por qué no vas al médico?

—Es que son dolores que no los pueden curar los médicos.

—Entonces, ¿quién los puede curar?

—Yo creo que nadie.

Lo dijo con una tristeza tan grande que se la contagió a Bibi. El hombre se dio cuenta y, como para tranquilizarla, le dijo:

—La única que me cura ese dolor eres tú.

—¿Cuando soy buena? —se interesó Bibi.

—Siempre. Aunque seas mala. Oye, pero ahora caigo en la cuenta de que tú nunca eres mala. Y eso tampoco puede ser.

A Bibi le hizo gracia que su padre quisiera que alguna vez fuera mala.

—Bueno, papá, ya procuraré serlo.

Aquella noche no sólo le hizo cosquillas para dormirla,

sino que se durmió él antes, sobre la cama de Bibi, y la niña procuró no moverse para no despertarle.

Cuando se hizo un poco mayor, se dio cuenta de que lo del «dolor» del corazón era un truco de su padre. Pero nunca se atrevió a desenmascararle. Además, pensaba que si bebía sería por alguna pena muy grande que tenía y que ella no sabía cuál era.

Bibi sabía repetir tan bien los cuentos de su padre que se hizo famosa. Incluso tenía una habilidad que le faltaba a Rogelio: variaba el modo de contarlos según la edad de los niños que la escuchaban.

Su profesora, la señorita Tachi, se dio cuenta de ese don, y cuando en los días de lluvia los niños del jardín de infancia no podían salir al recreo, le pedía a Bibi que los entretuviera contándoles cuentos. Eso la hacía muy feliz, pues sentía tal admiración por la señorita Tachi que, cuando ésta le pedía un favor, se atragantaba de la emoción.

La señorita Tachi era una mujer mayor —treinta años—, soltera, pálida, con un aire distante y entristecido. Pero muy guapa y elegante.

—Pero... ¿cómo puedes decir que es elegante? —le increpó Elena Manzaneda a Bibi—. ¡Es una hortera!

Bibi apenas se atrevió a discutir este punto con Elena Manzaneda, que era la hija del Poderoso Industrial, una chica mayor, tan atractiva, tan importante, que hasta los profesores la respetaban.

—¿Sabes tan siquiera cómo se llama? —continuó Elena.

—Pues... Tachi —contestó Bibi, sorprendida de la pregunta.

—¡Que te crees tú eso! Se llama Anastasia, y para disimularlo se hace llamar Tachi.

—Oye, pues hubo una duquesa, hija del zar de Rusia, que también se llamaba Anastasia.

—¡Pero qué pedante eres, hija! —se molestó Elena.

—No, si lo sé porque lo he visto en una película, en la tele de la señora Angustias —admitió humildemente Bibi.

Bibi no solía ser humilde; incluso tenía mucho genio, y

CASA
BAR
19

hasta los chicos la respetaban porque, si se terciaba, no le importaba pegarse con ellos. Pero con Elena Manzaneda había que hacer una excepción. Su padre, el Poderoso Industrial, era el hombre más rico de la zona, y con gran diferencia, desde siempre. Tenía muchas tierras de labor, la granja avícola, la fábrica de piensos, el almacén y la tienda de venta de automóviles. Eso, antes de que el pueblo se convirtiera en un barrio de Madrid. Porque cuando esto sucedió, la mayoría de sus tierras de labor se transformaron en solares sobre los que construyeron los edificios ajardinados y las urbanizaciones de chalés con sus praderas y sus piscinas. En fin, algo tan maravilloso que era lógico que Elena Manzaneda fuera también maravillosa y respetada.

El Poderoso Industrial era tan rico que construyó y regaló unos campos polideportivos al colegio. Por eso los profesores procuraban no suspender a sus hijos. Con Elena era cosa fácil, pues se defendía en los estudios; pero con su hermano pequeño, Quincho, resultaba imposible, porque era el más vago del colegio, con diferencia. La prueba era que, aunque tenía trece años, estaba en la misma clase de Bibi —que sólo tenía once— por haber repetido dos veces curso.

Bibi tenía decidido ser profesora, como la señorita Tachi, cuando fuera mayor.

SU FAMA DE NARRADORA de cuentos le vino muy bien, porque la empezaron a llamar de las casas para que entretuviera a los niños pequeños mientras las madres iban a la compra o a la peluquería.

Al principio apenas le pagaban porque iba a casas de señoras del pueblo, que la conocían de siempre. La compensaban dándole de merendar o de cenar, o le regalaban frutas y dulces para que se los llevara a su casa. Alguna vez le preguntaban:

—¿Qué te apetece llevarte hoy, guapa?

—Pues preferiría llevarme cigarrillos.

—¿Cómo dices? —se asombraba la señora. Pero luego caía en la cuenta y se escandalizaba—: Será para tu padre, ¿no?

—Sí, señora.

Si estaba el marido delante, era corriente que se echara a reír, porque Rogelio sentaba muy mal a las señoras, pero entre los hombres tenía buenos amigos.

—Oye, Bibi —intervenía el marido—, y ¿no quieres llevarte un poco de vino también?

La niña decía que sí, y entonces era cuando el marido y la mujer reñían; porque estaba claro que en el pueblo no se creían lo de que su padre tuviera que beber por aquel mal del corazón que no podían curar los médicos.

Pero cuando llegó el verano, las cosas cambiaron de modo muy favorable para Bibi. La señora Angustias, que cada día estaba más gorda y más triste, un día, después de regalarse con un suspiro quejumbroso, le dijo:

—Oye, en una de las casas a las que voy a asistir quieren que vayas el sábado a cuidar de los niños.

Bibi se quedó recelosa, porque la señora Angustias era una asistenta antigua e importante, que sólo asistía en los chalés de las urbanizaciones elegantes. La señora Angustias se dio cuenta y la tranquilizó:

—No te preocupes, irás conmigo. Son buena gente. Los padres, claro, porque a los niños no hay quien los aguante.

Esto último, en cambio, no le preocupaba a Bibiana, porque era impensable que ella tuviera dificultades con niños pequeños.

Se vistió muy elegante, con un pantalón vaquero de peto, una blusa amarilla y zapatillas del mismo color. Bibi no tenía nunca problemas de ropa porque se la traía la señora

Angustias, regalada, de las casas a las que iba a asistir. Un día le dijo Bibi:

—Oiga, ¿y no podría pedir también algo de ropa para mi padre?

Se lo preguntó porque Rogelio andaba siempre muy desastrado y a Bibi se le daba regular lo de lavarle y coserle la ropa.

A la señora Angustias, que era una viuda honrada, con una sola hija, casada con un ferroviario de Monforte, le sentó muy mal la pregunta:

—¿Pero tú qué te has creído? ¡Cómo voy a pedir yo ropa para un hombre! ¡Estaría bueno! ¿Qué pensarían de mí? ¿Eh? ¿Qué crees tú que pensarían?

Era una pregunta que Bibi ya sabía que no tenía que contestar. Bibi era una niña que iba por la vida tanteando; no era fácil saber lo que les iba a parecer bien o mal a las personas mayores, pero, cuando ocurría lo último, con callarse, la cosa se solucionaba.

Tomaron un autobús que llamaban «el circular» porque circulaba por todas las urbanizaciones y llegaba hasta Madrid. Pero se bajaron en una parada que sólo estaba a cinco minutos del pueblo. Bibi pensó que la próxima vez iría andando y se ahorraría las veintisiete pesetas que costaba el billete.

El chalé al que fueron se parecía a los que salían en las películas. Tenía una pradera de césped y, en medio, una piscina. Alrededor de ella había hamacas para tomar el sol, y en una de ellas, efectivamente, la señora de la casa lo tomaba en bañador. Estaba tan cansada que no se pudo levantar cuando entraron ellas. Se limitó a mirarlas, poniéndose una mano como visera para protegerse del sol. Era muy delgada, estaba muy morena, y luego Bibi se enteró de que tenía fama de ser muy guapa y muy elegante. En traje de baño no se le notaba.

—Hola, Angustias, ya está usted aquí. Menos mal.

Y dio un suspiro muy largo. Angustias le contestó con otro de los de su especialidad, y Bibi se dio cuenta de que la señora y la asistenta se entendían muy bien en ese lenguaje.

—Les he dado de desayunar a los niños y me han dejado agotada.

Otro suspiro. Luego, miró a Bibi y preguntó:

—¿Y esta niña tan guapa?

La señora Angustias movió la cabeza con pena, porque comprendió que a la señora le extrañaba que una niña tan bien vestida tuviera que ganarse la vida aguantando niños.

—Es la chica que cuida niños. Ya le dije que podía probar usted.

Tanto se extrañó la señora, que se incorporó en la tumbona; y a poco se le ve un pecho, porque llevaba sueltas las tiras del traje de baño para que, al tomar el sol, no le dejaran marca. Bibi estaba fascinada.

—¡Caramba! Yo creía que era mayor. ¿Cuántos años tienes, guapa?

Tenía la voz lánguida y cansina, pero parecía simpática.

—Once años.

—Pues estás muy alta para tener once años, pero yo esperaba una chica más hecha. Ya sabe usted cómo son mis hijos...

Esto último lo dijo dirigiéndose a la señora Angustias, que movió la cabeza apesadumbrada ya que tenía muy mal concepto de los niños.

—Pero tiene mucha práctica, la pobre, con los niños —tranquilizó la señora Angustias a la dueña de la casa—. Sobre todo cuando les cuenta cuentos.

—¡A MÍ ESA TÍA no me cuida!

Esto lo dijo un chaval que estaba a la sombra de la hamaca de su madre y que, de primeras, no se le veía. A la señora se le contrajo el rostro dolorosamente y suspiró:

—Rafa, por favor, no empecemos...

Rafa se puso de pie; era un chico de unos siete u ocho años. Volvió a repetir:

—¡Que a mí esa tía no me cuida!

A Bibi le pareció una observación lógica, pues no entendía por qué un niño de siete años tenía que ser cuidado, cuando ella, a su edad, ya cuidaba de su padre. No era ésa la opinión de la señora, que, sacando fuerzas de flaqueza, le conminó:

—Si no te vas ahora mismo con... —se dio cuenta de que no sabía su nombre y se lo preguntó—: ¿Cómo te llamas, guapa?

—Bibi.

—¿Bibi?

—Sí, señora, me llamo Bibiana, pero me llaman Bibi.

—Bueno, pues si no te vas con Bibi, llamo a tu padre a la oficina ahora mismo. Tú verás qué prefieres.

El chaval inclinó la cabeza cabreado, para que quedara claro que obedecía bajo amenaza.

LA SEÑORA ANGUSTIAS los condujo a una zona del jardín, a espaldas de la casa, sombreada, en la que había un montón de arena para jugar, un columpio y un pequeño tobogán.

Del interior de la casa sacó dos niños más. Uno muy pequeño, como de dos años, al que llamaban Tino.

—Con éste —le advirtió Angustias— ten mucho cuidado. Todo lo que coge se lo mete en la boca y se puede ahogar —la mujer se le quedó mirando muy fijo y suspiró—: Lo que no sé es cómo no se ha ahogado ya.

Luego, le señaló a una niña de unos cinco años y le comentó sin demasiado convencimiento:

—Ésta te dará menos guerra. Bueno, según le dé.

La niña se quedó encantada con Bibi nada más verla, y le enseñó un cochecito que tenía para dos muñecas gemelas. A Bibi le seguían gustando las muñecas y se interesó mucho por ellas; eran preciosas.

Empezaron a jugar a vestirlas y desvestirlas, y Bibi sólo se preocupaba de echar un vistazo al niño pequeño para que no se tragara nada.

A Rafa se le veía con ganas de armar bronca, para que se supiera que seguía allí a la fuerza.

—Oye —le dijo a Bibi—, tú no estás aquí para jugar con muñecas sino para cuidarnos.

La niña de cinco años, que se llamaba Rosa, le aclaró a Bibi:

—Es que está enfadado porque hoy no nos dejan bañarnos en la piscina porque vienen invitados.

A Rafa le sentó muy mal la explicación de su hermana y le gritó:

—¡Tú, calla, asquerosa, estúpida!

Al mismo tiempo hizo intención de tirar al suelo el cochecito de las muñecas gemelas, pero Bibi, que estaba muy atenta, le cortó el movimiento agarrándole muy fuerte del brazo. El chico intentó soltarse, sin conseguirlo.

—¡Suéltame, asquerosa!

Como Bibi no le hiciera caso, quiso llamar a gritos a su madre:

—¡Ma...!

No le dio tiempo de gritar *mamá* porque, apenas abrió la boca, Bibi, con la mano libre, se la tapó violentamente.

Rafa era un niño bastante alto, muy vigoroso, y que, además, iba a un colegio donde le daban clases de judo. Fue una lucha muy difícil, y cualquier niña que no estuviera tan preparada para la vida como Bibi hubiera llevado las de perder.

El chico logró morder la mano que le tapaba la boca, pero ya estaba tan interesado en la pelea que no se le ocurrió seguir llamando a su madre.

Los otros dos niños también estaban entretenidos con la lucha. Sobre todo Rosa, que, mientras Bibi y Rafa se revolcaban por el suelo, le decía a su hermano:

—A ésta no la puedes, chulo, que eres un chulo.

Bibi le sacaba más de la cabeza al chico, pero éste le echaba zancadillas y llaves que la ponían en verdaderos apuros. Una de las zancadillas le salió mal a Rafa, y Bibi, con todo su peso, cayó encima de él, sobre el montón de arena. Lo tenía sujeto tan fuerte que, por muchos trucos que supiera, parecía imposible que pudiera soltarse. Pero entonces fue Bibi la que tuvo que pedir la paz.

—Oye... —le dijo a Rafa, jadeando—: Tenemos que parar.

—¿Por qué? —se extrañó el chaval, también jadeante—. Yo no me he rendido.

—Es que se me ha roto el pantalón.

Bibi le soltó. Se levantó y vio que el pantalón de peto tenía los tirantes rotos y, lo que era peor, descosida la costura trasera, por la que se le veía todo. Esto le dio mucha risa a Rafa, pero no renunció, por ello, al asunto y le exigió:

—Bueno, arréglatelo y seguimos luchando.

—No pienso —le contestó Bibi.

—Pues eres una cobarde.

Lo dijo Rafa por decir, sin convencimiento, porque Bibi había luchado muy bien.

Para coser el pantalón tuvieron que pedir ayuda a la señora Angustias, que, al ver de aquella guisa a Bibi, preguntó alarmada:

—¿Pero qué ha pasado?

Rafa se quedó receloso, pero Bibi, sin dudarlo, contestó:

—Me he enganchado en el tobogán.

Angustias lanzó un suspiro de los suyos, lamentándose:

—¡A ver si vamos a tener que cuidar también de ti!

EL DÍA TERMINÓ muy bien, aunque Rafa y Rosa reñían mucho entre ellos. No sabían jugar juntos y Bibi se tuvo que dividir entre los dos. Un rato jugaba al fútbol con el chico, y a continuación, con la niña, a las muñecas. En cuanto a Tino, el niño de dos años, era una exageración de la señora Angustias el que se fuera a ahogar. Ciertamente, acostumbraba a llevarse a la boca todo lo que encontraba, pero Bibi comprobó que lo sabía escupir a tiempo. Por tanto, apenas daba trabajo.

Cuando terminó la jornada, la señora de la casa, que se llamaba Polín —y por eso el rótulo de la entrada ponía «Villa Polín»—, estaba agotadísima de atender todo el día a los invitados; casi no podía hablar, pero tuvo fuerzas para decir a Bibi:

—Has sido un encanto, cielo; no nos hemos enterado de que había niños en la casa. Toma.

Y le dio un billete de quinientas pesetas. Bibi a poco se desmaya de la emoción.

Eso fue el comienzo de un verano muy interesante. «Villa Polín» formaba parte de un conjunto de chalés, todos muy parecidos, con su jardincito y su piscina, ocupados por matrimonios con niños pequeños que, cuando se enteraron de la maña de Bibi para cuidar niños, la empezaron a llamar.

Cuando alguno de estos matrimonios tenía una fiesta por la noche o, simplemente, querían ir al cine después de cenar, le pedían a Bibi que se quedara a dormir, por si algún niño se despertaba. En tal caso le pagaban mil pesetas.

Bibi no se lo podía creer, porque ni su padre ganaba tanto dinero.

La verdad era que Rogelio no ganaba más dinero que el que conseguía jugando a las cartas. Porque no podía tener trabajo fijo. Tenía muchos amigos que se lo procuraban, pero lo acababa dejando, por causa de la bebida. Hasta el alcalde, compañero de Rogelio desde niños, lo colocó en el Ayuntamiento. Pero al mes lo tuvo que echar.

—Rogelio —le dijo—, mientras sigas así, no puedes trabajar en una oficina. ¿Es que no puedes dejar de beber? ¿Pero tú te das cuenta de cómo vas vestido? ¡Si pareces un vagabundo...!

Rogelio agachaba la cabeza y no decía nada.

—¿No podrías intentarlo por tu hija?

Rogelio era muy pacífico hasta que le mencionaban a su hija. Entonces se encrespaba:

—¡Deja a Bibi en paz! Mi hija está mejor cuidada que todas las vuestras. Además, ¿quién te ha dicho que yo quiero trabajar en una oficina? ¡Voy a poner un huerto y así no tendré que depender de ninguno de vosotros!

Efectivamente, con la ayuda de don Tomás, el cura, puso un huerto en la parte trasera de su casa. Era una casa hermosa, grande, pero muy abandonada. Bibi justo podía limpiar la parte que ocupaban, que era el comedor, la cocina y una habitación muy espaciosa. A veces iba la señora Angustias a echarle una mano, pero veía tanto polvo acumulado de años, que se ponía a lanzar unos suspiros tan dolorosos que Bibi tenía que acabar consolándola.

La señora Angustias era como una madre para Bibiana, y ésta la quería mucho. Pero, de tener madre, hubiera preferido que no fuera su vecina.

Bibiana era huérfana, pero de una manera especial porque no había conocido a su madre y nadie le hablaba de ella. A tal extremo que, cuando era pequeña, llegó a pensar que quizá no había necesitado de una madre para nacer.

EL CASO ES QUE don Tomás, el cura, que era de los que también tenían gran paciencia con Rogelio, le ayudó a plantar el huerto. Le ayudó no sólo por caridad, sino por ser muy entendido en labores del campo. Él mismo tenía un huerto, con árboles frutales de todas las especies, famoso en la región.

Pasaron, por tanto, un verano de maravilla, porque el huerto, con la ciencia que le aplicó don Tomás, era imposible que no diera cosecha.

En el trabajo de Bibiana hubo cambios, también a mejor. En la urbanización —que se llamaba «La Chopera»—, una madre celebró el cumpleaños de su hija de cinco años, y la fiesta hubiera sido un desastre de no haber sido por Bibiana.

La pequeña había invitado a más de veinte niños y niñas que apenas se conocían entre sí, y se limitaban a mirarse unos a otros, sin hablarse, hasta que algunos empezaron a llorar diciendo que querían irse a su casa.

Entonces fue cuando a Bibiana —cuya única obligación aquella tarde era cuidar a un niño de meses— se le ocurrió organizarles juegos: el escondite inglés, el sencillo, la búsqueda del tesoro, la pelota salta y bota, la zapatilla por detrás tris tras, piñata, concursos...

Se hizo de noche y los padres que venían a recoger a sus niños no podían llevárselos porque todos estaban pegados a Bibiana, fascinados. Uno de aquellos padres comentó:

—¡Esta niña es una auténtica animadora social!

Bibiana no entendía lo que significaba eso, pero lo cierto es que, desde aquel día, siempre que se celebraba una fiesta de niños la llamaban a ella para organizarla.

Cuando lo sabía con antelación, las organizaba muy bien. Porque le daba tiempo de comprar chucherías que le servían para preparar los concursos, la piñata y la búsqueda del tesoro.

Un día la llamaron a una fiesta que organizaba el Poderoso Industrial y le dieron cinco mil pesetas. Como era un billete de los nuevos, de tamaño pequeño, creyó que eran quinientas pesetas; y aunque le pareció poco, no comentó nada porque, en cambio, en otras casas le daban mucho más de lo que creía merecer. Fue Quincho el que la sacó del error cuando vio el billete:

—¡Jo! ¡Qué suerte! A mí no me da cinco mil pelas mi padre, haga lo que haga.

—¿Pero tú estás seguro de que son cinco mil pesetas? —se asombró Bibi.

Pero el chico estaba pensando en lo suyo y se limitó a comentar:

—Bueno, a mí también me las daría mi padre si estudiara. Pero eso es imposible.

—¿El qué? —se interesó Bibi.

—El que yo estudie.

Eso era cosa sabida en el colegio, y a Bibi le pareció normal la reflexión del chico, que, por cierto, la había estado ayudando a entretener a los amigos de su hermana pequeña. A lo mejor no servía para estudiar, pero valía para *animador social,* como ella. Le hubiera ofrecido una parte del billete de cinco mil pesetas por la ayuda, pero le dio vergüenza.

En cambio, cuando ya al final de la fiesta de niños llegó Elena Manzaneda, Bibiana le comentó el asunto:

—Oye, Elena, tu padre me ha dado cinco mil pesetas por la fiesta. ¿No se habrá equivocado?

Se lo preguntó no por escrúpulos de conciencia de cobrar aquel dineral, sino porque el señor Manzaneda tenía fama de mal genio y, caso de que se hubiera equivocado, podía reclamarle el dinero en público y de malas maneras.

Elena apenas se lo pensó.

—¿Qué pasa? ¿Te parece mucho?

—Sí.

Elena tenía quince años, pero vestía ya como una mujer, con zapatos de tacón y con una ropa tan elegante que Bibiana pensó hablar con la señora Angustias para ver si le conseguía lo que ya no usara Elena. Tenía que ser mucho; la hija del Poderoso Industrial estrenaba ropa y zapatos continuamente.

—¡Pero qué desgraciada eres, Bibi! —le dijo Elena en un tono que sonaba como despectivo—. Después de que has estado dos días pringando para preparar la fiesta, y hoy toda la tarde aguantando niños, ¿encima te parecen mucho cinco mil pesetas?

Bibi asintió con la cabeza.

—Además —continuó Elena—, que buena falta os harán, ¿no?

Elena decía todo con tono de superioridad, pero era tan evidente que la tenía que no había por qué molestarse que la manifestara. Claro, que también sabía hacer elogios, como el que le dijo a continuación:

—Te advierto que a mí tu padre me cae muy bien. Es un cachondo. Cuando se afeita, está guapísimo.

LA CUESTIÓN DEL AFEITADO era muy discutida en casa. Cuando Rogelio se dejaba barba de varios días, parecía un hombre sucio y viejo; eso disgustaba mucho a Bibi, que, para evitarlo, hasta aprendió a afeitarle con navaja barbera. Pero el padre se resistía a dejarse afeitar, entre otras razones porque Bibiana le daba muchos cortes y una de las veces casi le lleva una oreja con la navaja.

—¡Se acabó! —gritó un día—. Me dejo la barba y hemos terminado. ¿No lleva barba el alcalde? ¡Pues yo también!

Fue una buena idea, porque le salió una barba hermosa, muy negra, que le daba aire de persona respetable.

Rogelio tenía treinta y cinco años, y, como bebía mucho y comía poco, estaba muy delgado y tenía un aire tan melancólico que, un año, todas las chicas de COU del Instituto se enamoraron de él.

Fue un año en que Bibiana no sabía por qué todas las niñas mayores querían ser sus amigas y le hacían pequeños regalos.

—¡Pobrecita! —le decían. Y la acariciaban como si fuera su hija. Quizá porque pensaban en casarse con su padre...

SE TERMINÓ EL VERANO y las cosas cambiaron a peor. Bibi empezó de nuevo el colegio y le volvió a tocar la clase de la señorita Tachi. ¡Qué suerte! Se fijaba con mucho detalle en todo lo que hacía su profesora porque, cuando fuera mayor, quería ser exactamente como ella.

En ese aspecto, por tanto, el curso empezó bien. Lo malo es que apenas tenía tiempo para ir a cuidar niños, y ganaba muy poco dinero. En cuanto al huerto de su padre, así que llegó el otoño, dejó de producir. Don Tomás le dio consejos a Rogelio para que organizase plantaciones que dieran verduras de invierno, pero el hombre se emperezó, no hizo los trabajos a tiempo y, para cuando se quiso dar cuenta, su huerto estaba yermo. Se puso muy triste por este nuevo fracaso y bebió más que de costumbre.

Bibi se entristecía mucho con aquella pena de su padre que le obligaba a beber, pero no se le ocurría ninguna solución. Como les hacía mucha falta el dinero, empezó a faltar al colegio para poder ir a las casas de «La Chopera», en las que siempre encontraba trabajo bien pagado.

La señorita Tachi, que cuando faltaba un alumno a clase le exigía justificante de sus padres, no le hizo ningún comentario a Bibi, pero se le puso cara de nublado.

La profesora, sin preguntar demasiado, se enteraba de todo. Conducía un coche pequeño que le daba un aire de independencia. Fuera de las clases hablaba poco con los alumnos, pero si al venir al colegio se encontraba con alguno que marchaba cargado de libros, lo llevaba en su coche. Los alumnos decían de ella:

—Es simpática según le dé.

En cambio, a Bibi se lo parecía siempre.

—Es que a ti te tiene enchufe —le comentaban los otros.

A Bibi, ser la preferida de Tachi le parecía algo maravilloso.

Una tarde, casi anochecido, iba Bibiana a «Villa Poli» a cuidar a Rafa, a Rosa y a Tino, cuando paró junto a ella el coche de la señorita.

—Sube —le dijo—. ¿Adónde vas?

—A «Villa Polín».

Tachi olía muy bien y Bibi cayó en la cuenta de que a ella nunca se le había ocurrido echarse colonia.

—¿No te da miedo andar casi de noche por aquí?

Se lo preguntó porque entre el pueblo y aquella urbanización había un descampado muy mal iluminado.

—No —le mintió Bibi con todo descaro. Pero la verdad era que pasaba un miedo terrible que intentaba disimular o bien cantando, o bien rezando o, en todo caso, cuando ya no podía más, echando a correr para llegar cuanto antes.

—¿Y cómo vuelves a tu casa? —insistió la señorita.

—Me trae el padre de los niños en coche.

—Bueno. Oye, tenemos que pensar en la función de Navidad.

—¿Tan pronto? —se extrañó Bibi.

—No creas. Falta poco más de un mes. Hay que prepararla bien.

La señorita hablaba con aire distraído, como si estuviera pensando en otra cosa.

—Bibi, me gustaría hablar con tu padre.

A la niña le entró una alegría muy grande porque era normal que los padres hablaran con los profesores. Menos el suyo.

—¿Cuándo? —preguntó ilusionada.

Habían llegado frente a «Villa Poli» y Tachi paró el coche. Miró con extrañeza la ilusión de la niña.

—Cuanto antes, mejor —le contestó procurando sonreírle—. Si puede ser, mañana.

—¡Vale! —asintió Bibi más encantada todavía.

Tachi, contra su costumbre, la tomó por el cuello y la atrajo un poco contra su hombro. Bibi se quedó embargada por el perfume de su seno. Además, la señorita le acarició el pelo con su mano larga y fina; a Bibi le hubiera encantado cogérsela y besársela.

AQUELLA NOCHE esperó levantada a que llegara su padre, y en cuanto entró le dio la buena noticia:

—La señorita quiere verte.

Rogelio venía simpático a más no poder, cosa que le ocurría con frecuencia por las noches.

—¿Qué señorita? —le preguntó en tono festivo—. Porque son muchas las señoritas que quieren ver a tu padre. ¿Qué te parece?

A Bibi le parecía muy natural que hubiera mucha gente interesada en ver a una persona tan simpática como su padre.

—Pero... —continuó el padre— a mí sólo me interesa una señorita, que se llama... Bibiana. ¿La conoces?

A pesar de lo mayor que era, cuando Rogelio le decía estas cosas, Bibi daba un salto, y su padre era tan alto y tan fuerte que la podía coger en el aire y estrecharla entre sus brazos.

—La que te quiere ver —le explicó— es la señorita Tachi, mi profesora.

Así que mencionó este nombre, se aflojaron los brazos que rodeaban su talle. Su padre la dejó en el suelo, la miró con rostro receloso y le preguntó con un tono de voz cambiado:

—¿Para qué quiere verme?

—Supongo que será para hablarte de la función de Navidad —fue lo primero que se le ocurrió a Bibi.

Rogelio se la quedó mirando con aire escéptico, bostezó y se limitó a decir:

—Bueno, vamos a dormir. Mañana será otro día.

Era una frase a la que Rogelio era muy aficionado, por pensar que de un día para otro las cosas se arreglaban solas. A veces tenía razón, pero no estando por medio el interés de su hija en que hablara con su profesora.

Por eso, al día siguiente, a la hora de comer, apareció Bibiana y le dijo:

—Arréglate, papá; la señorita Tachi te espera a las tres.

Rogelio sólo tenía una nebulosa de lo que habían hablado la noche anterior, pero, a pesar de todo, tuvo reflejos para decirle:

—Lo siento, Bibi, hoy no puedo. He quedado con don Tomás para hablar de un asunto.

—¿Qué asunto? —le preguntó Bibiana, mirándole muy fijo.

—Pues mira —balbuceó Rogelio, que temía aquellas miradas de su hija—, me ha recomendado que ponga una granja de conejos en la huerta. Es un gran negocio en invierno y en verano. Además, tú me ayudarías a cuidar de los conejitos. Yo creo que será más divertido que cuidar niños. ¡Ja, ja, ja! ¿Qué te parece?

—Que es mentira —le contestó Bibi, muy seria.

—¿El qué? —se asombró Rogelio—. ¿El que sea más divertido cuidar conejos que niños?

—No, el que tengas que ver hoy al señor cura. Te lo acabas de inventar.

—¡Pero, niña! ¿Cómo te atreves a hablar así a tu padre? —se escandalizó Rogelio.

—Además —continuó Bibiana sin inmutarse—, tienes que lavarte, arreglarte la barba y cortarte el pelo.

—¡No! —rugió furioso Rogelio.

—¡Sí! —le replicó en el mismo tono la niña.

Rogelio, indignado por la actitud de su hija, tomó su vieja chaqueta y se dirigió a la puerta de salida de la casa. Pero Bibi se le anticipó, cortándole el paso.

—Papá, por favor —le suplicó, al tiempo que se le llenaban los ojos de lágrimas.

EL CASO ES QUE a las tres en punto estaba Rogelio a la puerta del colegio, con su mejor traje —que era tan sólo bastante regular—, la barba recortada, el pelo arreglado y

Bibiana asida de la mano para que no se arrepintiera a última hora.

Entraron en el gran vestíbulo y Bibiana le pidió:

—Espera aquí un momento que voy a avisar a la señorita.

Luego, le repasó con la mirada y se quedó tan encantada que le dijo, de corazón:

—¡Qué guapo estás, papá!

—¡Cobista! —le contestó Rogelio, que, si estaba allí porque no podía soportar ver llorar a su hija, seguía receloso por la entrevista que le esperaba.

Bibiana desapareció, momento que Rogelio aprovechó para sacar del bolsillo trasero del pantalón una botellita de coñac, de la que ingirió un largo trago para tomar fuerzas. Justo le dio tiempo de guardar la botella, y ya estaba de vuelta Bibi, que le acompañó hasta una clase vacía en la que Tachi corregía ejercicios. Lo dejó en la puerta y le rogó por lo bajo:

—A ver si estás simpático, papá.

Y le dio un empujón. Rogelio no tuvo tiempo de ensayar su simpatía, porque Tachi, en tono gélido, le ordenó:

—Siéntese.

Obedeció y se sentó en una silla, que más bien era de pupitre de niño pequeño, de manera que quedaba un poco ridículo, en una postura muy rara, tocándose, casi, la barbilla con las rodillas.

Sin tan siquiera darle las buenas tardes y apenas mirarle, Tachi sacó una carpeta de un cajón, la abrió y le espetó a Rogelio:

—Tiene usted muy buenos amigos en este pueblo.

Rogelio hizo un gesto de asentimiento con la cabeza, aunque ya se daba cuenta, por el tono de la frase, que la profesora no se contaba entre ellos. Y si alguna duda le quedaba, se disipó cuando la señorita le dijo:

—Por eso no está usted todavía en la cárcel.

Lo decía con gran tranquilidad, como si fuera la cosa

más natural del mundo el que Rogelio tuviera que ir a la cárcel. Éste, justo pudo balbucear:

—Pe... pero, oiga...

—¡Oígame usted a mí! —le interrumpió con gran decisión Tachi—. En cualquier momento le van a aplicar a usted la Ley de Vagos y Maleantes...

—Pe... pero..., ¿cómo se atreve?

—Me atrevo a decirle lo que dice este expediente —y le enseñó la carpeta que había sacado del cajón—, que está detenido en el Ayuntamiento porque el alcalde es amigo suyo. Pero bien claro queda que es usted un vago, porque no trabaja. Y es usted un maleante, porque siempre está borracho. ¡Es usted un peligro para la sociedad!

Rogelio sintió miedo de aquella mujer fría, distante, amenazadora, e intentó reaccionar:

—Eso no es cierto; ahora voy a empezar a trabajar en un negocio.

—¿En qué negocio? —se interesó irónica la profesora—. Porque hasta ahora el único negocio que se le conoce a usted es el de vivir del dinero que gana su hija cuidando niños.

Menos mal que se había tomado el trago de coñac antes de entrar, porque si no, ante tan cruel acusación, Rogelio se hubiera derrumbado. Haciendo un esfuerzo, adoptó un tono enérgico para defenderse:

—¡Eso no es cierto! Ahora voy a montar un negocio de cría de conejos con el señor cura.

—¡El señor cura! —comentó la profesora en tono despectivo—. ¡Otro que tal, que se empeña en defenderle a usted!

Rogelio se quedó tan perplejo ante semejante falta de respeto a un sacerdote, que decidió cambiar su línea de defensa.

—Y en cuanto a lo de que alguna vez esté borracho, tampoco es cierto.

La señorita Tachi se le quedó mirando muy fijo, como escrutándole por dentro, y después de pensárselo le dijo con gran suavidad:

—Yo no le he dicho que alguna vez esté borracho. ¡Le he dicho que lo está siempre!

Y al decir lo anterior, acercó su rostro, fino, pálido, al de Rogelio, como si fuera a besarle, cosa que, naturalmente, no ocurrió, sino que husmeó con su nariz y comentó con gran seguridad:

—Ahora mismo apesta usted a alcohol.

Rogelio, como niño en plena falta, se tapó la boca con la mano y se arrepintió del trago de coñac que se había tomado antes de entrar en el aula. Tachi, con aire de tranquilizarle, le dijo algo muy poco tranquilizador:

—Pero no es a mí a quien le corresponde meterle en la cárcel, porque yo no soy ni el juez ni el alcalde.

Con la misma tranquilidad, tan inquietante para Rogelio, se levantó y se dirigió pausadamente a la ventana. Desde ella se veía a Bibiana, que, en la calle, esperaba la salida de su padre hablando con otras niñas.

—Pero sí me corresponde —continuó Tachi— ocuparme de Bibiana, porque soy su profesora.

En ese momento, de espaldas a Rogelio, a través de la ventana, vio a Bibi, la cual, como si sintiera la mirada, levantó sus ojos hacia Tachi y le dirigió su sonrisa más cálida. A la señorita se le asustó el corazón, pero tuvo fuerzas para seguir hablando con Rogelio:

—¡Y no puedo consentir que esa niña viva en situación de peligro con un hombre como usted!

Rogelio, ante tan sorprendente frase, se limitó a balbucear:

—¿Y... eso... qué quiere decir?

—¡Quiere decir que le denunciaré a la Junta de Protección de Menores!

—¿Y... eso qué significa? —le salió a Rogelio en un hilo de voz.

—Que le quitarán la niña.

Con tal seguridad se expresó la profesora, que Rogelio, aterrorizado, gritó:

—¿Qué me va usted a quitar la niña?

Tachi, quizá para no amedrantarse ante aquella reacción, se apartó de la ventana, se dirigió a Rogelio y le hizo frente para replicarle en el mismo tono de voz:

—¡Yo no se la voy a quitar! ¡La tomarán y se la llevarán a un internado en el que esté debidamente cuidada!

Rogelio, hundido en aquella silla de niño pequeño, parecía disminuido, sin fuerzas para articular ninguna frase razonable. A tal punto, que Tachi estuvo a punto de sentir compasión de él. Pero retuvo su corazón porque más pena le daba la pequeña Bibiana en manos de aquel hombre alcoholizado.

FUE LA PRIMERA VEZ en su vida que Rogelio tuvo miedo a un ser humano. Hasta entonces sólo había tenido miedo a Dios, que le había demostrado diez años antes, cuando se quedó viudo, cómo podía quitarle lo que más quería: su esposa.

Ahora, aquella mujer fría, terrible, de ojos centelleantes, le anunciaba otro castigo semejante: la pérdida de su hija. Cuando salió del colegio, sintió que la señorita Tachi podía ser tan temible como Dios.

—¡Papá! —le gritó Bibiana, que esperaba anhelante su salida—. ¿Qué te ha dicho la señorita?

Le tuvo que gritar, porque Rogelio salía tan atontado que, sin hacer caso de su hija, caminaba calle adelante. Como no contestaba nada, la niña insistió:

—¿No te ha dicho que voy a ser la encargada de la función de Navidad?

—Sí, sí, claro... —balbuceó su padre.

De repente, la niña se puso seria, triste, cosa insólita en ella; y temerosa, le exigió a su padre:

—Papá, no me engañes, dímelo todo.

—¿Qué quieres que te diga, hija? —le contestó Rogelio desarmado, temiendo que la niña también conociese la amenaza que pesaba sobre ellos.

—Lo de las matemáticas. ¿Te ha dicho lo de las matemáticas?

Rogelio no salía de su asombro.

—¿Cómo dices? —preguntó a su hija.

—He suspendido las matemáticas. ¡Odio las matemáticas!

En tales circunstancias, aquella noticia era la mejor que podía recibir Rogelio. Pero, claro, tuvo que disimular.

—Oye, oye, eso no está bien. Hay que estudiar de todo, aunque no guste.

Si no fuera por la terrible amenaza de la profesora, Rogelio se hubiera sentido feliz de que su hija tuviera una pena en la que él no tenía culpa alguna. ¡Una pena tan maravillosa como un suspenso en matemáticas! Una pena de tan fácil solución, porque seguro que a la siguiente evaluación recuperaba. Y allí estaba él, que sabía muchas matemáticas, para ayudarla a conseguirlo. Por eso aparentó ponerse más serio todavía:

—Bien, hablaremos esta noche de eso. ¡Pero no te tolero un suspenso!

Bibiana estaba encantada de que su padre le riñera delante de las niñas, a la puerta del colegio. Así se darían cuenta de que era un padre como los demás.

ROGELIO, cuando se quedó solo, estuvo dudando si irse a la taberna o a la iglesia, y decidió lo segundo. En realidad, él iba a ver a don Tomás, cuya casa se hallaba junto a la iglesia. En ésta hacía tiempo que no entraba Rogelio. Y si el cura estaba en ella, esperaba a que saliera, como sucedió en esta ocasión.

—¿Qué pasa? —le preguntó molesto don Tomás—. ¿Tienes miedo a entrar en la iglesia?

—No vengo a ver a Dios, sino a verte a ti.

Don Tomás y Rogelio eran amigos desde pequeños, se trataban con gran confianza, y cuando hablaban parecía que siempre terminarían riñendo.

—Pues mientras prefieras ver al cura antes que a Dios, estás perdiendo el tiempo —le replicó don Tomás.

—No vengo a ver al cura sino al amigo. Y como me sueltes un sermón, la próxima vez me voy a la taberna.

—¿A la taberna? ¿Qué mejor taberna que mi casa? Pasa, pasa.

Don Tomás se lo dijo de malos modos, pero Rogelio hizo caso de la invitación y entró en la casa porque estaba deseando echar un trago. Además, le convenía no darse cuenta del enfado de su amigo, porque necesitaba contarle la conversación que había mantenido con la señorita Tachi. El cura le escuchó con atención y al final le manifestó su preocupación:

—Esto es grave, Rogelio. No es la primera vez que esa mujer lo intenta. Hasta ahora hemos conseguido parar el expediente, pero a medida que Bibiana se va haciendo mayor es más difícil.

El pesimismo del cura era de mal augurio para Rogelio. Pero éste no perdió los ánimos del todo, porque se había trasegado un par de vasos de vino, y de momento se le había quitado aquella «pena» del corazón que tanto preocupaba a Bibiana.

—¿Y por qué es más difícil? ¿Tú crees, de verdad, que yo soy un maleante?

A don Tomás se le puso cara de duda:

—Yo creo que no..., pero lo pareces...

Don Tomás sintió a su amigo tan triste, tan desamparado, tan incapaz de solucionar su vida, que decidió animarle un poco:

—Pero no eres un maleante, ni mucho menos.

A Rogelio se le llenaron los ojos de lágrimas.

—No sé lo que me pasa, Tomás. Pienso que no puedo ser de otra manera. Lo único que sé es que no podría vivir sin Bibiana. Si me la quitan, me moriré.

Lo dijo muy sentidamente, como a punto de echarse a llorar, por lo que el cura, para dejarle en libertad de hacerlo, se levantó de su asiento y se puso a mirar por la ventana. Rogelio aprovechó para servirse un tercer vaso de vino y bebérselo de un trago. Por unos momentos recobró el ánimo y le preguntó a su amigo:

—Y... ¿qué podemos hacer?

—Hombre, yo, poco —le contestó el cura—. Pero tú puedes hacer varias cosas. Por ejemplo, cumplir lo que acabas de decir y morirte cuando te quiten la niña.

Rogelio se lo pensó y le contestó, muy serio:

—No me parece bien.

—¿Por qué no?

—Porque sería dejar a Bibiana huérfana de madre y de padre. Pobre niña...

—¡Ya! —le dijo el cura con sorna—. También podrías irte a vivir con Bibiana a un sitio donde no te conociera nadie. Quizá al mismo Madrid.

—¡Qué horror! ¿Qué iba a hacer yo en una gran ciudad?

—O si no —continuó don Tomás—, podrías matar a la profesora y asunto terminado. O, quizá, lo más sencillo sería cambiar de conducta, dejar de beber y volver a un trabajo como el que tenías antes...

—De todas las soluciones, la que más me gusta es la de matar a la señorita Tachi.

Aunque hablaba en broma, don Tomás se quedó triste de que su amigo no aceptara la posibilidad de cambiar de vida.

EN CAMBIO BIBIANA, aquella misma tarde, tomó la decisión de cambiar de vida a mucho mejor. Cuando salió del colegio fue, como todos los días, a «La Chopera» a cuidar niños. Aunque ya era casi invierno, la tarde estaba muy templada. A todos los chicos les había dado aquel día por montar en bici. Incluso se echó la noche y los niños y las niñas seguían haciendo carreras a la luz de los faros, sin hacer caso de sus madres que los llamaban a casa porque ya era tarde.

Bibiana hacía uno de los trabajos más fáciles y divertidos: pasear a un bebé en su cochecito. Era como jugar a las mamás, pero de verdad. Tanto es así que las otras niñas le rogaban:

—Anda, Bibiana, déjame llevar un poco el coche.

Ella no les hacía caso porque la madre del niño, cuando lo sacaba a pasear, siempre le advertía lo mismo: «No vayas a dejar el coche a nadie, ¿eh?». Bibiana comprendía que la señora tenía razón porque, aunque las otras niñas fueran tan mayores como ella, sólo querían el coche para andar sacando y metiendo al niño, manosearlo, hacerle reír a fuerza de cosquillas e, incluso, darle de comer cosas peligrosas; por ejemplo, chicle.

Pero una niña de diez años que se llamaba Marta le hizo una propuesta muy concreta:

—Si me dejas dar una vuelta al niño, yo te dejo mi bici.

Era una bicicleta de gran lucimiento, nueva, con faro, que servía tanto para andar por las calles como por el campo. Las ruedas no se podían pinchar nunca.

Bibi se quedó mirando fascinada la bici, pero con pena tuvo que decir la verdad:

—Es que yo no sé montar en bici...

—¡Venga ya! ¿No vas a saber montar en bici? —le dijo Quincho Manzaneda, el hijo del Poderoso Industrial, que andaba por allí. Era cosa sabida que en cuanto aparecía Bibiana, Quincho salía de su casa y se pegaba a ella.

Marta se quedó pensativa agarrada a su bici, y Bibi a su cochecito.

—¿Pero tú has montado alguna vez en bici? —insistió Quincho.

—No —confesó un poco avergonzada Bibiana.

—¡Pues entonces cómo sabes que no sabes montar en bici!

El razonamiento del chico sonaba un poco raro, pero a Bibiana no le dio tiempo de pensárselo porque, por su cuenta, Quincho hizo el cambio: le quitó la bici a Marta y el coche a Bibi. Ésta advirtió a la otra:

—¡Paséalo por esta acera y no cruces la calle!

No pudo decir nada más, porque se encontró montada sobre la bici y empujada por Quincho.

Al principio fue penoso; iba en un continuo zigzag, pero no se cayó al suelo porque todo lo que tenía Quincho de torpe para los estudios lo tenía de hábil para los deportes; por eso fue capaz de llevar corriendo a Bibiana sobre la bici y, al mismo tiempo, impedir que ésta se ladeara demasiado.

—¡Pedalea fuerte! ¡No mires al suelo! —gritaba el chico mientras la sujetaba.

—¡Que no puedo! ¡Que no puedo! —replicaba aterrada Bibiana, pero con un terror maravilloso, porque de repente oyó que Quincho le decía:

—¿Que no puedes? ¡Pues ya vas sola!

Aunque fuera increíble, era verdad. Quincho seguía corriendo junto a ella con los dos brazos extendidos, como amparándola, pero sin sujetarla.

—¡Sigue! ¡Sigue! ¡No te pares! ¡No mires al suelo! ¡Más deprisa!

De tal modo le hizo caso que, pese a las formidables zancadas del chico, éste no pudo seguirla y Bibiana, en cuestión de minutos, se encontró al final de la urbanización. Como no sabía frenar, metió la bici en un prado y la hierba amortiguó la velocidad hasta parar del todo.

Al poco tiempo llegó Quincho, sudando, jadeando, y le dijo con gran seguridad:

—Ya nunca más te caerás. Ya has aprendido. Ya lo verás.

Bibiana estaba embelesada. Jamás hubiera podido pensar que montar en bici fuera algo tan extraordinario.

—O...ye... —jadeó el chico—. No he visto a nadie que aprendiera tan pronto a montar en bici. ¡Y cómo corrías! ¡Qué tía!

Luego, se sacó un cigarrillo y con esfuerzo lo encendió.

—¿Pero tú fumas? —se asombró Bibiana.

—Hombre, claro —le contestó Quincho, que era dos años mayor que ella.

—¿Y tu padre te deja?

—¡Qué va! Si me ve, me mata. Por eso fumo aquí.

Así que dio la primera chupada, entre el jadeo que le quedaba por el carrerón y el humo que se le iba por mal sitio, le entró tal ahogo y tal tos que Bibiana le tuvo que dar golpes en la espalda.

—Bueno —se disculpó el chico—, la verdad es que estoy aprendiendo. Lo que pasa es que es mucho más difícil que aprender a montar en bicicleta. Ya llevo dos meses y a nada que me descuido agarro cada mareo...

Bibiana no hizo mucho caso al problema de Quincho porque se sentía embelesada con la proximidad de la bicicleta. Era preciosa, tan suave de acariciar, brillando a la luz de los faroles, con un delicioso olor a aceite de engrasar, tan silenciosa al pedalear... ¡Qué maravilla!

El camino de vuelta fue muy distinto. Quincho, que era un excelente maestro, la obligó a ir despacio, frenando de cuando en cuando, indicándole cuándo tenía que girar para un lado o para el otro, cómo debía evitar los montoncitos de arena en los que podía resbalar, etc.

El chico la seguía con un trotecillo perruno, diciéndole a cada momento:

—Lo haces muy bien, sigue así.

Aquella tarde fue cuando cayó en la cuenta de que, quizá, Quincho Manzaneda no fuera el más burro de la clase, como decían los otros chicos.

POR LA NOCHE tardó en dormirse. No se le quitaba de la imaginación la sensación de deslizarse en la bici un poco cuesta abajo, sin apenas tener que pedalear, como si tuviera alas, escuchando los ruidos de la noche y aspirando el aroma de la tierra mojada.

Pero es que, además, se dio cuenta de que su vida con una bicicleta cambiaría totalmente. Nunca más necesitaría tomar el autobús que recorría las urbanizaciones. En cuestión de minutos podría ir a cualquier casa de «La Chopera». Y cuando fuera mayor, incluso podría ir en bici hasta Madrid.

Fue una de aquellas noches en que su padre, como la suponía dormida, entraba sin querer hacer ruido y lo hacía más que nunca.

—Papá... —susurró Bibiana.

—¿Qué pasa, hija? ¿No duermes? —le contestó en el mismo tono. Era curioso, pero, aunque vivían solos, cuando la niña estaba ya en la cama, siempre hablaban con un tono de voz muy quedo, como si temieran despertar a alguien.

—No, papá —y después de pensárselo le dijo—: ¿Tú sabes lo que más me gustaría de este mundo?

—¿El qué, hija?

—Tener una bicicleta.

Rogelio encendió la luz pequeña, la que estaba junto a la cama de la niña. Se sentó en la cama y empezó a hacerle cosquillas en forma de caricias.

Como después de dejar a don Tomás había seguido bebiendo, había tomado precauciones antes de entrar en su casa. Para que no se le notara lo borracho que estaba, había metido la cabeza durante largo rato en la fuente de la plaza; luego, se había secado y peinado con esmero, incluso la barba. Así arreglado y con los colores en las mejillas por efecto del agua fría, estaba muy guapo. Por eso las chicas mayores del colegio, por temporadas, se enamoraban de él.

Esas noches de vino y arrepentimiento le ponían muy

melancólico, y era entonces cuando le contaba los mejores cuentos a Bibiana.

—¿Quieres tener una bicicleta? Claro, claro, no me extraña. Es lo mejor del mundo. Cuando yo tenía catorce años, tenía una bici...

Cuando su padre era chico había tenido una bicicleta, con la que hacía misteriosas excursiones a ríos lejanos donde pescaba en primavera y se bañaba en verano. Encadenó historias preciosas que Bibiana escuchaba fascinada. No sólo por lo bien que las contaba su padre sino porque en todas ellas quedaba patente lo importante que era tener una bicicleta, y la cantidad de cosas que se podían hacer con ella.

Cuando terminó, le preguntó a Bibiana:

—¿Pero cómo no se te ha ocurrido antes eso de tener una bici?

La niña se quedó perpleja, sin saber qué contestar, porque de sobra sabía que ellos no tenían dinero suficiente para comprar una bici.

A Rogelio, pasado el efecto del agua fría de la fuente, le entró un sueño muy grande y comenzó a dormitar en la misma cama de la niña. Ésta, en cambio, de emocionada que estaba, temía que no podría dormir.

—Oye, papá —se atrevió a decirle—, pero una bicicleta debe de costar mucho dinero...

—Bueee...no —bostezó Rogelio—, pues se la pides a los Reyes Magos.

—¿Tú crees? —se sonrió la niña.

—Na...tu...ral...mente —bostezó de nuevo—. ¿No te has fijado que las bicicletas siempre las traen los Reyes?

Y se puso a roncar.

AL DÍA SIGUIENTE, lo primero que hizo la niña fue contárselo a la señora Angustias.

—¿Que vas a pedir una bicicleta a los Reyes? —suspiró la vecina sin dar crédito a sus oídos.

Bibiana, acostumbrada como estaba a los suspiros de la señora, asintió con la cabeza.

—Pero... ¡pobre hija mía! ¿Cómo te van a traer a ti una bicicleta los Reyes?

—Me lo ha dicho mi padre.

Bibi no era tonta y sabía que los Reyes eran los padres, pero le apetecía tomarle el pelo a la señora Angustias, que, a veces, la trataba como a una niña pequeña.

—¡Ay, señor, señor! —se desesperó la señora, a punto de romper a llorar—. ¿Cuándo cambiará ese hombre?

Tenía comprobado Bibiana que todo el mundo, menos ella, estaba deseando que su padre cambiara. Como es lógico, a ella no le importaría que cambiara en algunas cosas, por ejemplo en el vestir, e incluso, que le desapareciera esa «pena» del corazón que le obligaba a beber. Pero tenía miedo de que, si cambiaba demasiado, pudiese convertirse en un padre como el de algunos niños que conocía. Sin ir más lejos, como el de Quincho, el Poderoso Industrial, que era un padre terrorífico al que nunca jamás se la había visto sonreír. A tal punto que, el día de la fiesta, cuando le dio las cinco mil pesetas, ella las recibió con miedo.

LO CIERTO ES QUE BIBIANA ya no podía vivir sin bicicleta. Por eso, aunque aquel día no tenía ningún encargo de cuidar niños, se fue a «La Chopera» para volver a montar.

Encontró las calles desiertas porque por la tarde había habido un amago de tormenta y los niños, por lo visto, se habían encerrado en sus casas. Bibiana se encontró muy sola en la urbanización. Miraba por encima de las tapias de los jardines y veía bicicletas arrinconadas, casi abandonadas, como si a sus dueños no les importara que se pudieran mojar o se las pudieran robar. Cuando ella tuviera su bicicleta, la guardaría en su casa asegurada con candados.

Pese a su timidez, no pudo resistir la tentación y llamó al timbre en casa de Marta. Cuando salió la niña, le preguntó Bibiana:

—¿Hoy no montáis en bici?

—¿Hoy? —se extrañó la otra—. ¡Pero si ha llovido...!

Luego, se lo pensó un poco y le dio una mala noticia:

—Es que ya empieza el invierno y en invierno no montamos en bici.

Era una mala noticia, porque Bibiana había pensado que, hasta que tuviera su bicicleta, podría montar en las de los niños de «La Chopera».

—Bueno, gracias —se despidió.

—Oye —le dijo Marta—, si quieres puedes dar una vuelta en la mía...

A Bibiana le dio tanta vergüenza que hubiera adivinado sus intenciones, que echó a correr al tiempo que le mentía:

—No, no, gracias, si no venía a eso...

POR LA NOCHE se quedó despierta esperando a su padre.

Rogelio nunca iba a cenar. Ella cenaba sola. A veces la acompañaba la señora Angustias, que se asomaba a la puerta y le preguntaba:

—¿Qué te has hecho hoy de cena?

Bibiana, generalmente, se solía hacer una tortilla a la francesa, que le salía muy bien.

—¿Sólo eso, hija mía? —suspiraba la señora, entristecida.

Y le daba algo que había traído de su casa: sopa o acelgas..., es decir, las cosas que menos le gustaban a Bibiana—. Anda, tómatelo, que está caliente y estás en la edad de crecer.

Bibiana se daba cuenta de que su vecina la compadecía, pero no entendía por qué, ya que ella se alimentaba muy bien. Por las mañanas se tomaba el café con leche bebido, pero luego, en el colegio, se hinchaba a comer. El Ayuntamiento le había concedido una beca que comprendía no sólo los estudios sino también la media pensión. Eso le daba derecho al bocadillo de la mañana y a la comida del mediodía. Además, si tenía hambre, se podía comer varios bocadillos, porque había niños que ni los probaban. Elena Manzaneda, la hermana de Quincho, siempre decía:

—¡Qué asco! ¡Bocadillo de mortadela!

Y lo apartaba como para no mancharse las manos. Elena Manzaneda parecía antipática, pero no lo era tanto. A Bibiana le solía decir:

—¡Hola, mona! ¿Cómo estás?

Y le pasaba la mano por la cabeza, y a veces le preguntaba por su padre. Había días en que Elena, pese a tener sólo quince años, parecía tan mayor como una profesora. Pero mucho más elegante. Además, era tan guapa y distinguida que resultaba muy natural que no le gustaran los bocadillos de mortadela.

Elena Manzaneda sólo perdía la distinción y la elegancia cuando discutía con su hermano Quincho. Se ponían ambos tan feroces que a Bibiana le daba miedo verlos.

INTENTÓ QUEDARSE DESPIERTA esperando a su padre, pero no lo consiguió porque llegó muy tarde.

Rogelio había pasado una tarde amarga porque su amigo, el alcalde, le había confirmado los malos presagios del cura: la señorita Tachi estaba empeñada en denunciarle ante la Junta de Protección de Menores, por vago y por borracho.

Lo malo es que, además, había reñido con el alcalde porque le había preguntado:

—Oye, pero tú no creerás que yo soy un vago y un borracho, ¿no?

Y el alcalde le había contestado:

—Mira, Rogelio, yo no sé si serás un borracho. Lo único que sé es que te bebes un par de litros al día. Y en cuanto a lo de vago, la verdad es que... ¡cuidado que es difícil verte trabajar!

Como eran amigos se enfadaron, porque para eso están los amigos. Pero Rogelio se quedó angustiado, pues se dio cuenta de que si no contaba con la ayuda del alcalde iba a resultar muy difícil que no le quitaran la niña.

Por eso llegó tan tarde y tan preocupado a su casa. Pero así que entró, se despertó Bibiana, que se había dormido con la preocupación de hablarle.

—Papá —le susurró como de costumbre.

—¿Qué pasa, hija?

—Que lo de pedir la bici a los Reyes Magos no es serio, ¿no te parece?

Rogelio, como era incapaz de enfadarse con Bibi, descargó su cólera contra los Reyes Magos.

—¡Pues no les pidas la bicicleta! ¿Qué se han creído? ¿No tienes tú tus ahorros? ¡Pues te la compras con ellos y se acabó!

Bibiana, ciertamente, a veces tenía ahorros, pero duraban muy poco porque los necesitaban para comer. Y en más de una ocasión su padre los tomó sin darle explicaciones. Por eso dejó de guardarlos en una hucha de barro, porque cuando se la encontraba rota y vacía se le entristecía el corazón. Ahora, cuando sobraba un poco de dinero en la casa, lo guardaba en una cajita de madera que tenía llave; pero la dejaba puesta. Si el dinero desaparecía, no le dolía tanto como la imagen de la hucha rota.

Era tal la necesidad de tener una bici, que Bibiana decidió creer a su padre.

—¿De verdad, papá, puedo ahorrar todo el dinero que traiga a casa?

—¡Naturalmente! —se encrespó Rogelio, que estaba furioso con todo el mundo menos con Bibi—. ¡Pues no faltaría más! ¿No ganas tú el dinero? ¡Pues tuyo es!

Al día siguiente se fue Bibiana a la cacharrería y se compró la hucha de barro más grande que encontró.

—¿Piensas llenar toda esta hucha con dinero? —se extrañó la dueña de la cacharrería.

—Sí, señora.

—¿Y para qué quieres ahorrar tanto dinero?

—Para comprarme una bici —le contestó la niña con formidable decisión.

—¿Una bicicleta? —se compadeció la dueña—. ¡Pobre hija...!

Estaba tan acostumbrada Bibiana a que la compadecieran, que este triste comentario no le quitó la ilusión de llegar triunfante a casa y colocar la hucha encima del aparador del comedor.

—¡Papá! —le dijo a su padre—. ¡La hucha! ¿Tú crees que cuando esté llena habrá suficiente dinero para comprar la bici?

—¡Lo que falte te lo pongo yo! —le contestó.

Rogelio era capaz de decir cosas asombrosas que sólo se las creía Bibiana.

VINIERON DÍAS TRANQUILOS. El otoño se alargó y el tiempo, todavía en noviembre, era templado. Como había llovido mucho, los campos que rodeaban el pueblo estaban muy bonitos, con florecillas azules.

Las tardes de sol se dejaba caer Bibiana por «La Chopera», con la esperanza de que los niños sacaran las bicicletas. Pero estaba claro lo que dijo Marta: de cara al invierno se olvidaban de las bicis.

Ella las miraba melancólica, abandonadas en los jardines, pero sin excesiva envidia: porque su hucha se iba llenando muy deprisa. Trabajaba cuanto podía cuidando niños, animando fiestas con sus juegos y sus cuentos, y todo lo que ganaba lo echaba en la hucha. No se compraba ni un *chupachups*. Calculaba que en un par de meses se podría comprar la bici.

Pensaba comprársela muy buena, aunque tardara un poco más, y con un faro que iluminase muy bien. Esto último era importante, porque para volver de «La Chopera» a su casa estaba el descampado oscuro que tanto miedo le daba atravesarlo. Cuando llegaba a él, corría hasta alcanzar un edificio en construcción que la tranquilizaba por estar cerca de su casa y alumbrado por los faroles de la calle.

Sin embargo, el susto más grande de su vida se lo llevó en ese edificio aparentemente tranquilizador.

Volvía una noche oscura y cerrada, sin luna ni estrellas, en la que lloviznaba, un poco más tarde que de costumbre y, por lo tanto, más asustada que de costumbre.

De repente oyó a sus espaldas el ruido más acogedor que conocía. El ronroneo del motor del pequeño coche de la señorita Tachi. Le hacía tanta ilusión montar en el coche de la profesora que aguzaba su oído para sentirlo venir. Tachi recogía a casi todos los niños que se encontraba en su camino, y a Bibiana con toda seguridad.

Efectivamente, a los pocos momentos la iluminaron los faros del coche, y la voz inconfundible y adorable de Tachi la llamó:

—¡Bibi! Anda, sube. ¡Qué tarde andas...!

Lo que sucedió a continuación nunca lo entendió bien Bibiana. El coche se había parado junto al edificio en obras, desierto a aquellas horas, en una zona oscura a la que apenas llegaba la escasa iluminación de la calle. Bibi se acercó a la portezuela abierta por la profesora y le llegó su perfume, el mismo que pensaba usar cuando fuera mayor.

Tachi, como si presintiera lo que iba a suceder, la urgió:

—Anda, corre; monta, que es muy tarde.

Iba a obedecer la niña, cuando Tachi le susurró:

—¡Cuidado...!

Los faros del coche alumbraron a un hombre joven, con barba, pálido, muy mal vestido. Llevaba algo en la mano.

De primera intención, la señorita le ordenó que montase rápido. Pero cuando ya tenía Bibi un pie dentro del coche, cambió de opinión y le gritó:

—¡Corre! ¡Escapa!

Esto fue porque del edificio salió otro hombre, parecido al anterior, que, metiendo una mano por la ventanilla, cogió el volante. La señorita Tachi logró acelerar el coche, pero el hombre aquel no soltó el volante y el vehículo se paró unos metros más allá.

Bibi, al arrancar el coche, perdió el equilibrio, cayó al suelo todo lo larga que era y en esa posición se quedó, aterrada, sin atreverse a mover un pelo. Para su fortuna, cayó en una zona tan oscura que los hombres no la vieron.

Le parecía que se quedaría en aquella postura para siempre. Notaba las piernas rígidas.

—Danos la pasta —oyó que decía uno de los hombres—. Y ese anillo, y la cadena...

Se dio cuenta de que eran ladrones y empezó a rezar para que terminasen de robar pronto.

—¡Oye! ¡Qué guapa es! —dijo en un tono horrible un ladrón—. ¿La metemos dentro del edificio?

El otro se rió con un risa que fue la pesadilla de Bibi durante varias noches y comentó:

—Eso. Vamos a meterla dentro del edificio y así la registramos bien, no vaya a ser que nos esconda algo.

Hasta Bibi llegó la voz temblorosa, desconocida, de la señorita Tachi:

—¡Por favor! Os daré todo lo que tengo, pero dejadme ir.

Oyó un grito sofocado y Bibi tuvo el valor de levantar la

cabeza. Vio que el segundo hombre abría la portezuela del coche y tiraba de la profesora, agarrándola por el cuello, al tiempo que intentaba taparle la boca. El otro ladrón vino en su ayuda y la sacaron del coche.

La luz de los faros iluminó la escena y la niña pudo ver cómo Tachi forcejeaba con los dos hombres. Uno de ellos dio un rugido porque la señorita logró morderle la mano.

—¡Socorro! —gritó Tachi.

En aquella soledad sólo oyó el grito Bibiana, pero le llegó tan dentro que le desapareció la parálisis. Se levantó como un rayo y, sin dudarlo, corrió en busca de ayuda hacia su casa, que estaría a unos trescientos metros.

Los hombres seguían luchando con la señorita y ni la oyeron. Bibi, según se alejaba, oyó que la pegaban y la insultaban. Eso le dio tales fuerzas que en menos de un minuto llegó a su casa.

NO SÓLO LE DIO FUERZAS sino también lucidez para darse cuenta de que si las luces de su casa estaban apagadas, era señal de que su padre se encontraba en su lugar favorito: la taberna. Y sin perder tiempo, allí se encaminó y entró:

—¡Papá! —gritó sin dudarlo—. ¡Corre! ¡Han robado a la señorita Tachi!

Rogelio jugaba su partida de cartas con gran atención, ya que últimamente vivían de lo que él ganaba en el juego. En cuanto oyó el grito de su hija, se levantó de su asiento.

—¿Qué pasa, hija?

—¡Que a la señorita Tachi le han robado, ahí, en el edificio en construcción!

—¿Qué es lo que le han robado?

Rogelio le preguntó esto demudado; no porque le importara un pito la señorita Tachi, sino por ver tan asustada a su hija.

—¡La han robado a ella misma! —le explicó la niña.

—¿Y para qué la quieren? —se extrañó su padre.

Rogelio, a diferencia de su hija, tenía tan mal concepto de la señorita Tachi que no entendía que nadie la pudiese querer para nada.

—¡Para matarla! —sollozó la niña.

—No me extraña.

Intentó calmar a su hija acariciándole la cabeza, pero por lo bajo les dijo a sus compañeros de juego:

—No me extraña que la quieran matar. ¡Menuda bruja!

Sus amigos, que sabían el problema de Rogelio con la profesora, comprendieron lo que quería decir y se echaron a reír. Lo hicieron también porque estaban bastante borrachos. Además, dudaban de que el relato de la niña no fuera una fantasía.

Rogelio, que conocía bien a su hija, procuró despejarse y le hizo contar lo sucedido. Todos se dieron cuenta de que era verdad y de que el asunto podía ser grave.

El tabernero se acercó y comentó:

—Esos hombres deben de ser los mismos que esta tarde han robado en la farmacia. Iban buscando droga. Pueden ser peligrosos.

—¿Pero para qué quieren llevarse a la señorita? —preguntó angustiada Bibiana.

Los hombres se miraron unos a otros y no dijeron nada. Al poco, uno de ellos comentó:

—Hay que avisar a la Guardia Civil.

Bibiana, entre sollozos, se agarró a su padre y le suplicó:

—¡Tienes que ir ahora mismo a salvarla! ¡La están pegando! ¡La van a matar!

Bibi estaba convencida de que su padre podía hacer cualquier cosa, si quería. Incluso salvar a la profesora de dos hombres tan peligrosos.

Rogelio la apartó y se metió detrás del mostrador del

bar. Abrió un grifo y puso la cabeza debajo para despejarse. Mientras tanto, el tabernero insistía:

—Hay que avisar a la Guardia Civil. A ver, uno de vosotros, que vaya al cuartelillo.

Pero Bibiana, en quien confiaba era en su padre. Por eso le dijo:

—Papá, por favor...

A Rogelio le hubiera parecido muy bien que quitasen a la profesora de enmedio y, con ella, la amenaza permanente de privarle de Bibi. Pero no supo negarse a la súplica de su hija.

—Está bien, iré.

Sus amigos le dijeron que no hiciera locuras, que esperase a la Guardia Civil que ya había sido avisada. Rogelio negó con la cabeza y se dirigió a la puerta. El tabernero le tomó por un brazo y le advirtió:

—No vayas, Rogelio. Si son los que yo digo, irán armados. Espera a que vengan los guardias.

Rogelio se puso muy melancólico, como si le importara muy poco la vida, y contestó al tabernero:

—Bibiana cree que puedo hacerlo. Quizá sea la única persona en este mundo que confía en mí.

El tabernero, que era su amigo, le comprendió.

—Perdona que no te acompañe —se disculpó el hombre—, pero ya estoy muy viejo para esas aventuras.

Efectivamente, el tabernero era un hombre muy mayor y con mucha barriga. Le costaba trabajo moverse.

Sus compañeros de juego le miraron salir, un poco avergonzados de no acompañarle. Para justificarse, comentaron entre ellos:

—Este Rogelio cada día está más loco. ¿Qué le pasa ahora? ¿Quiere hacerse el héroe?

ROGELIO NO TENÍA el más mínimo interés en ser un héroe. Lo que le importaba era conservar el aprecio de su hija, que era lo único que le compensaba en la vida.

Para conseguirlo, decidió hacer las cosas bien. Y empezó por echar a correr para llegar a tiempo de salvar a la profesora. Pese a la oscuridad de la noche, como se conocía muy bien el camino, en menos de un minuto llegó al edificio en construcción.

El coche de la señorita, con las luces encendidas y las puertas abiertas, ofrecía un aspecto preocupante. Rogelio paró su carrera y ahí fue su asombro, porque a sus espaldas oyó pisadas. Eran de Bibiana que le había seguido corriendo.

—¿Qué haces tú aquí? —le dijo furioso, pero sin alzar mucho la voz para que no le oyeran.

—Vengo a ayudarte.

A Rogelio le hubiera hecho gracia la respuesta si no fuera por lo peligroso de la situación.

—¿Ayudarme, tú? ¡Lárgate inmediatamente!

—Me da miedo —dijo la niña en un susurro.

—¿Cómo dices? —se extrañó Rogelio.

—Que me da miedo —le explicó la niña— volver por la oscuridad.

—¿Y no te da miedo estar cerca de esos dos criminales?

—Estando contigo, no —le replicó la niña con gran naturalidad.

A Rogelio no le dio apenas tiempo de emocionarse con la respuesta, porque del interior del edificio salieron gritos sofocados, ruido de lucha y como un lamento.

—¡Es ella, papá! —se desesperó Bibiana—. Está ahí dentro.

Rogelio ya se lo figuraba y, sin dudarlo, se metió en el edificio. Y Bibiana detrás porque le daba miedo quedarse sola. Rogelio no se había dado cuenta de esto último hasta que la niña le advirtió:

—¡Están ahí!

Bibiana tenía una vista maravillosa. Por las noches,

cuando les cortaban la luz por falta de pago, era capaz de seguir leyendo con la escasa iluminación que entraba de la calle. Por eso fue la primera que los vio, al pálido reflejo de los faroles callejeros. Al principio no se asustó demasiado, porque se dio cuenta de que la señorita seguía viva. Pero cuando sus ojos se acostumbraron a la penumbra, se quedó aterrada: Tachi estaba de rodillas y uno de los hombres la sujetaba por el cuello. Tenía el rostro ensangrentado y la blusa desgarrada. Gemía.

—¡Soltadla! —gritó Rogelio con gran autoridad.

El hombre que la sujetaba, asustado por aquella repentina aparición, obedeció y retrocedió unos pasos.

Rogelio había asido una barra de metal y, quizá, los hombres, en la oscuridad, creyeron que era un guarda con un fusil. La sorpresa le permitió dominar por unos momentos la situación.

La señorita Tachi ofrecía un aspecto tan lastimoso con la blusa rota, semidesnuda, con un zapato sin tacón, despeinada, sangrando, que Rogelio estuvo a punto de sentir compasión de ella. Pero se dio cuenta que de aquella no se moría, y pensó para sí: «Bicho malo nunca muere».

—Levántese —le dijo a la mujer, encantado de poder dar órdenes a la que tanto miedo le metía con sus amenazas de quitarle la niña.

Tachi obedeció con gran presteza y se puso junto a él. En ese momento fue cuando uno de los hombres se dio cuenta de que Rogelio no era un guarda, ni aquello que llevaba en la mano un fusil. Rápidamente silbó a su compañero, al tiempo que sacaba una navaja larga y afilada. El acero relució en la noche y, al verlo, Bibiana cerró los ojos. Oyó que su padre gritaba:

—¡Escápese!

Cuando abrió los ojos, vio que la señorita obedecía la orden y se dirigía a trompicones a la calle. Su padre, con la barra en la mano, cerraba la salida, impidiendo que los hombres pudieran seguirla. Pero éstos no parecían ya interesados en la mujer sino en Rogelio.

—¡Te vamos a matar! —le dijo uno de ellos, tomando posiciones para atacar, navaja en mano.

La situación había cambiado. Antes querían matar a su señorita, y ahora a su padre. Bibiana, dentro de su terror, estaba un poco más tranquila porque sabía que su padre se podía defender mucho mejor que la profesora.

Rogelio era muy alto y procuraba ponerse en posición de defensa frente al de la navaja. Al otro hombre no se le veía. La niña se había pegado contra una de las paredes, medio escondida detrás de una columna, y el miedo le impedía moverse.

—Deja eso, muchacho, no hagas tonterías.

Su padre se dirigía en tono conciliador al hombre de la navaja, pero éste, como si le hubiera molestado el consejo, intentó clavársela. Rogelio evitó el pinchazo y golpeó con la barra al hombre, que cayó al suelo.

—¡Quieto! —le conminó Rogelio amenazándole con la barra.

Estaban pasando las cosas tal y como se las había figurado Bibiana, cuando sucedió lo peor.

Sonó un tiro y, al mismo tiempo, desde la calle llegó una voz:

—¡Alto a la Guardia Civil!

Bibiana pensó que el tiro lo había disparado la Guardia Civil que acababa de llegar. Se oía el abrir y cerrar de puertas de coches. Voces. Pisadas. Ella se apartó de la pared, liberada del miedo ante la llegada de refuerzos. Oyó que su padre decía, con un tono de voz muy tranquilo:

—Pero... ¿qué has hecho? ¿Estás loco?

Resultó que el tiro lo había disparado el otro hombre, que estaba al lado de Rogelio, pálido, convulso, con una pistola en la mano.

Rogelio, de pie, se apretaba al costado por el que le había entrado el disparo.

El hombre caído en el suelo fue el primero que se apercibió de la llegada de los guardias y se puso a blasfemar y gritar:

—¡Maldita sea! —le increpó a Rogelio—. ¡Como nos cojan los guardias, le matamos a usted!

Al decir esto último, sacó otra pistola. Rogelio, que hablaba con esfuerzo, contestó a la amenaza:

—¡Bastante les importa a los guardias que me matéis! Es más, creo que mucha gente se alegraría.

El hombre, sin hacer caso de la observación, gritó a los de la calle:

—¡Tenemos un hombre prisionero! ¡Cómo no nos dejéis ir, lo matamos!

Rogelio, que no se podía tener en pie, se cayó pesadamente junto a una columna. Pero le quedaron fuerzas para advertir a los hombres:

—Como no os busquéis otro rehén mejor que yo, vais buenos.

DESPUÉS, CUANDO LO CONTABA, la gente se asombraba de la serenidad que había tenido su padre. Bibiana no, porque ya sabía que era así.

La realidad fue que, tan convencido les decía a los ladrones lo que su vida no le interesaba a nadie, que éstos dudaron, desistieron de matarlo y, para cuando se quisieron dar cuenta, la Guardia Civil los había rodeado y detenido.

A Rogelio le condujeron, en una ambulancia, al hospital. Fue cuando peor lo pasó Bibiana. No la dejaron acompañarle, y pensó que se había muerto.

La llevaron a casa de la señora Angustias y tardó mucho en dormirse. Lloró hasta hartarse, pensando en su padre. A la mañana siguiente la despertó la señora Angustias. Antes de hablarle, lanzó un suspiro de los peores; a Bibiana se le encogió el corazón.

—Han llamado del hospital. ¡Ay, Dios mío! —hizo una

pausa de muy mal augurio y continuó—: Han dicho que tu padre está bien. Ya le han sacado la bala. Esta tarde, si quieres, puedes ir a verle.

Volvió a lanzar otro suspiro. Tan doloroso, que daba la impresión de que le parecía una mala noticia que Rogelio no se hubiese muerto.

Todavía estaba en la cama, cuando apareció la señorita Tachi. Más guapa que nunca. Tenía una ceja cubierta con una tirita y el ojo correspondiente, morado. Un labio, partido e hinchado. Cuando se sentó en su cama y, sin decirle nada, le tomó la cabeza entre las manos y la estrechó contra su pecho, Bibiana, sin saber por qué, se puso a llorar suavecito, sin ruido.

La señorita no le decía que no llorase. Se limitaba a estrecharla más fuerte. La blusa era de seda, muy suave, y el perfume tenía aroma de fresa. A Bibiana le hubiera gustado quedarse así para siempre. O, por lo menos, dormirse en aquel regazo como si fuera una niña pequeña. Pero la señora Angustias, que las estaba mirando, intervino:

—El padre no se ha muerto.

Es decir, que no valía la pena seguir llorando sin motivo. La señorita Tachi movió la cabeza como indicando que ya sabía la buena noticia, aunque, tal y como la decía la señora Angustias, no se sabía si era buena o mala.

La señorita Tachi apartó un poco a Bibi y le preguntó:

—¿Vas a ir a ver a tu padre?

La niña asintió.

—Bien —continuó la profesora—, pues te llevaré en coche.

Lo dijo con rubor, porque era un pretexto para visitarle también ella. No le quedaba más remedio que dar las gracias a Rogelio por haberla salvado, pero le resultaba muy violento, por la bronca que habían tenido pocos días antes a propósito de la niña.

Rogelio estaba en un hospital de Madrid, en una sala grande, con otras personas. La enfermera que las condujo les advirtió:

—No le conviene hablar mucho. Todavía está débil.

Primero entró sola Bibiana. Y aunque le impresionó ver a su padre en la cama, con todo el pecho vendado, no le dio por llorar. Tampoco supo qué decirle. Se limitó a sonreírle, y Rogelio hizo lo mismo.

—Oye, papá, la señorita quiere verte.

A Rogelio se le quitó la sonrisa y se le puso la misma cara de recelo que la otra vez.

—¿No será para hablarme de la función de Navidad?

Lo preguntó con sorna, pero la niña no lo entendió y se limitó a decir:

—No creo, papá. ¿Le digo que pase?

El hombre aceptó resignadamente. Cuando entró Tachi con el rostro deformado por los golpes, se le puso una cara divertida.

—¡Caramba! —le dijo Rogelio a modo de saludo—. La han dejado a usted peor que a mí.

La mujer negó con la cabeza, incómoda por la situación.

—Lo mío no es nada —comentó—. ¿Qué tal está su herida?

—Muy bien. La bala, según dicen, entró entre dos costillas. Pero no me ha dañado ningún órgano importante.

Bibiana se había sentado al borde de la cama. La señorita Tachi se dirigió a Rogelio:

—Quería darle las gracias por haberme salvado de aquellos hombres.

Pareció que Rogelio no iba a contestar nada, pero, de repente, el rostro se le ensombreció y dijo en un tono sordo:

—Si lo hice, fue porque me lo pidió Bibiana.

A ésta le pareció muy lógica la respuesta de su padre porque sabía que era verdad, pero a la señorita se le puso la cara roja.

—Ya lo supongo —le contestó—, pero de todos modos se lo agradezco.

Y allí se terminó la entrevista.

ROGELIO ESTUVO en el hospital quince días, que fueron felicísimos para Bibiana. Iba a verle todas las tardes, y estaba de tres a siete, que eran las horas de visita. La señorita le dispensaba de ir al colegio.

Fueron unos días felicísimos porque a Bibiana, el jugar a enfermeras, le entusiasmaba más que ninguna otra cosa; a tal punto que, si de mayor no fuera maestra, sería enfermera. Aquellos días no es que jugara a enfermeras, sino que durante el tiempo que estaba en el hospital, hacía de enfermera de verdad de su padre.

La monja encargada de la planta le dejaba que le diera la merienda y, a partir del tercer día, también, ponerle el termómetro.

—Qué bien lo haces —le decía la monja—. ¿No te gustaría ser enfermera de mayor?

A Bibiana le entraba apuro decirle que pensaba ser maestra, y se limitaba a sonreír.

A su padre le daban de comer cuatro veces al día y, encima, todos los conocidos del barrio se empeñaban en que le llevara paquetes de comida. La señora Angustias no fallaba ningún día.

—Toma, toma —le decía—, llévale este filete empanado. Ya que no se ha muerto, que se reponga lo antes posible.

De nada servía explicarle lo bien que le daban de comer, pues la señora estaba convencida de que la comida que servían fuera de casa no alimentaba.

Un día le dijo su padre:

—Oye, en lugar de traerme todas estas porquerías, agénciate una botella de vino.

La niña obedeció y llevó a su padre lo que le había pedido. La botella se la dio con disimulo, cuando no miraba la monja, pues ya tenía comprobado que los mayores no comprendían que su padre tuviera que beber para aliviarse de aquella pena del corazón.

LA VUELTA DE ROGELIO a casa fue estupenda para Bibiana. No lo tenía que compartir con las enfermeras y monjas del hospital, y se podía lucir cuidándole en su convalecencia. Le habían dicho que le vigilase la temperatura sólo por las tardes, pero ella le ponía el termómetro cada vez que venía una visita, para presumir. Rogelio tenía gran paciencia con su hija y se dejaba.

Los visitaban todos los del barrio, la mayoría de ellos con regalos. En cambio, la señorita Tachi no volvió por su casa. De vez en cuando le preguntaba a Bibiana por su padre, pero no hizo ademán de visitarle.

Un atardecer, cuando Rogelio se encontraba casi bien del todo, vinieron a visitarle sus amigos de la taberna. Eran muy simpáticos con Bibiana, pero a la niña le daban un poco de miedo porque tenía comprobado que eran de humor muy desigual. Tan pronto reían como reñían. A veces, diciendo palabras horribles. Si su padre se daba cuenta de que ella estaba delante, los hacía callar.

Aquella tarde se pusieron a jugar a las cartas y se les hizo de noche. Bibiana se quiso hacer la enfermera delante de los jugadores, y a las diez le dijo a su padre:

—Papá, es hora de dormir. Ya sabes que el médico ha dicho que tienes que acostarte temprano.

Los amigos se echaron a reír, pero a su padre, en lugar de hacerle gracia como otras veces, le sentó mal y la mandó a la cama. Quizá porque iba perdiendo a las cartas.

Bibiana se durmió oyendo las voces de los jugadores, destempladas, con risas y palabrotas. Se despertó temprano, procurando no hacer ruido, porque era verdad que a su padre le habían recomendado dormir mucho.

Era tal el desorden que había en el cuarto de estar, que de primeras no se fijó en la hucha rota. Cuando la vio, se le hizo un nudo en la garganta. La cogió con la esperanza de que no faltara el dinero o, por lo menos, que no faltara todo. Vana esperanza. No quedaba ni la calderilla...

Nunca había pesado tanto la hucha como aquella vez, aunque había tenido más billetes que monedas. Ultimamente, casi no podía meter Bibiana el dinero y estaba a punto de comprarse otra hucha. Había calculado que con hucha y media tendría bastante para comprar la bici. Sopesaba en su mano la hucha rota, vacía, que apenas pesaba, y no se lo podía creer. Por mucho vino que necesitase su padre, era imposible que se hubiera gastado todo el dinero en comprarlo.

No le faltaba razón. La culpa no había sido del vino. O, por lo menos, no toda la culpa. El vino había influido en que Rogelio, con la mente oscura por el alcohol, decidiera, en una jugada en que creía tener muy buenas cartas, jugarse todo el dinero de la hucha. La rompió, pensando: «Como voy a ganar en esta partida mucho dinero, mañana mismo le compro la bici a Bibiana».

Pero como no ganó, la niña perdió toda esperanza de conseguir la bici. Ante la hucha vacía pensó si podría seguir viviendo sin la ilusión de tener algún día su bicicleta.

En ese momento se despertó Rogelio. Tenía la puerta de la habitación abierta y a través de ella vio a su hija. Ésta sintió su mirada y correspondió con otra. Luego, la niña le dijo:

—Oye, papá, yo creo que será mejor que pida la bici a los Reyes, ¿no crees?

Se lo dijo como un amargo reproche. Pero Rogelio estaba tan triste por lo que había hecho, con tanto dolor de cabeza por el vino y con tanto dolor de corazón por comprender que no tenía remedio, que ni tan siquiera se puso a despotricar contra los Reyes Magos, como en ocasiones anteriores.

CAMINO DEL COLEGIO, para consolarse, se hizo las siguientes reflexiones: «Ahorrar parecía difícil mientras a su padre no se le curara aquella locura que le obligaba a beber y jugar. Por lo tanto, lo mejor era pensar que el invierno estaba ya encima y que durante él no se montaba en bicicleta, como ya le había explicado Marta».

«¿Para qué, entonces, necesitaba ella una bici?»

Estaba a punto de consolarse con esta última reflexión, cuando, ¡maldita sea!, pasó junto a ella Elena Manzaneda.

Elena Manzaneda, además de guapa, rica y elegante, era tan mayor —¡estudiaba COU!— que cualquier día se sacaría el carné y conduciría con gran distinción uno de los muchos coches que tenía el Poderoso Industrial.

Por eso Bibiana se quedó asombrada cuando Elena pasó a su lado ¡montada en bicicleta! Pero, además, en una bicicleta más bien antigua, despintada y roñosa.

A su paso la saludó Elena:

—Adiós, mona.

Se la veía de mal humor porque la bici, desengrasada, chirriaba. Encima, el camino del colegio terminaba en cuesta y Elena no estaba para sujetar los libros y al mismo tiempo empinarse sobre la bici para pedalear.

Quizá Elena había sacado la bici para llevar la contraria a los que decían que no era tiempo de bicicletas. O para lucir unas pantalones que se estrechaban en los tobillos y parecían muy propios para pedalear. Lo cierto es que no se la veía a gusto. Por eso, cuando cien metros después de rebasar a Bibi se le salió la cadena y casi se cae, soltó un taco como los de los chicos.

Se quedó mirando la bici con desprecio y, sin pensárselo dos veces, la arrojó con rabia contra unos arbustos.

—¡Mierda de bici! —dijo con gran convencimiento, al tiempo que tomaba sus libros y echaba a andar hacia el colegio.

Para ir a la escuela, muchos niños, entre ellos los Manzaneda y Bibiana, tomaban un atajo, que era un camino forestal bordeado de pinos y arbustos de retama.

Pasaron tres niños, de los pequeños, de los que siempre iban corriendo. Y así que vieron la bici tirada, uno de ellos intentó montarse con ayuda de los otros dos. Entre que la bici le venía grande y que tenía la cadena fuera del piñón, apenas caminó unos metros y la volvió a abandonar; un poco más apartada del camino.

Pasó junto a ella Bibi, despacio, mirándola detenidamente. Pensó que quizá su error había sido empeñarse en tener una bicicleta nueva. Si se hubiera conformado con una como aquélla, de ocasión, seguro que ya se la habría podido comprar.

DURANTE LA CLASE le preguntó a Quincho:

—Oye, ¿tú crees que venden bicicletas de ocasión?

—¿Y eso qué es? —se extrañó el chico.

Quincho Manzaneda se sentaba siempre junto a Bibiana. Él decía que era para copiar en los exámenes, pero los demás chicos sabían que era un pretexto para estar cerca de ella, porque estaba enamorado. En la clase, sobre este tema, había división de opiniones. Unos decían:

—¿Pero cómo Bibi, que es una de las chicas más guapas y más listas del colegio, le va a hacer caso a ese imbécil que, además, es un vago?

Otros, por el contrario, opinaban:

—¿Pero cómo Quincho, que es hijo del hombre más rico e importante de toda la región, va a hacerle caso a la hija del tío más golfo del pueblo?

No se ponían de acuerdo. Ni falta que hacía.

—¿Pero no sabes lo que es una bici de ocasión? —le insistió Bibiana.

Como al chico le daba vergüenza saber tan pocas cosas, decidió inventarse una contestación a ver si acertaba.

—Pues supongo que será una bicicleta que te regalan en alguna ocasión. Por ejemplo, con ocasión de tu cumpleaños.

A Bibi le entró la risa, pero a Quincho no le importó que se riera de él, porque la chica tenía los dientes muy bonitos y una risa muy graciosa.

—No, hombre —le aclaró Bibi—, te digo comprar una bici de ocasión. Por ejemplo, comprársela de segunda mano a un chico que ya no la quiera.

—Yo no conozco a ningún niño que no quiera tener bici —fue la respuesta de Quincho, y a Bibi le pareció que tenía razón.

Se quedó pensativa —pensaba en la bici abandonada en el camino forestal— y volvió a preguntar a Quincho:

—Y... ¿tú crees que a los Reyes Magos se les puede pedir una bici de ocasión?

El chico también se lo pensó y le contestó:

—Yo creo que los Reyes son una buena ocasión para pedir una bici...

A Bibi le hizo gracia que el chico siguiera en sus trece y volvió a reírse. Quincho continuó:

—... pero si tú crees en los Reyes Magos (esto se lo dijo con retintín), es mejor que se la pidas nueva. ¿No te parece?

La señorita Tachi los vio hablar y le echó una riña a Quincho. A Bibiana no había cuidado de que le riñera. Ni aunque, como aquel día, se pasara la clase entera sin atender, porque no podía dejar de pensar en la bici de Elena Manzaneda que, bien pensado, no era una bici tan vieja. Lo que le ocurría era que estaba despintada y tenía las llantas un poco roñosas.

A LA SALIDA del colegio tomó el camino forestal que llevaba a su casa. Vio cómo Elena Manzaneda se montaba en el asiento trasero de la moto de un chico mayor y le entró la curiosidad de saber cómo recogería su bici.

De momento allí seguía, en el sitio donde la dejaron tirada los niños, pero en peores condiciones porque otros chicos, de los medianos, estaban haciendo puntería, con piedras, contra la bici abandonada.

Cada vez que una piedra acertaba en el metal, sonaba como una campanilla. Ese sonido animaba a los chicos a tirar las piedras con más fuerza. A Bibi le entró una indignación natural porque no le cabía en la cabeza que algo tan admirable como una bicicleta fuera apedreado.

—¡Dejad esa bici, animales! —les gritó Bibiana.

Los chicos la obedecieron porque sabían que la chica, si era necesario, podía pegarse con ellos. Además, estaba protegida por Quincho, que era muy bruto, y por la señorita Tachi, que era una de las que más mandaban en el colegio.

También le hicieron caso porque Bibiana no era mala y, si podía, te hacía un favor.

De todos modos, antes de abandonar la pedrea, la insultaron, y uno de ellos la amenazó con una piedra. Pero como Bibi ni se inmutó, echaron a correr. Según se iban, le tiraban piedras; pero cuidando de no darle.

Bibi se quedó mirando muy fijamente la bici y se confirmó en la idea de que no era tan vieja. Se trataba de una bicicleta muy buena —cosa lógica siendo de la casa del Poderoso Industrial— pero muy descuidada. Cosa también lógica, porque a Elena le llevaba tanto tiempo estar elegante que no era imaginable que fuera a cuidar una bici usada.

Comprobó que el timbre no funcionaba; también faltaba la bomba de hinchar, y el faro tenía el cristal roto. Quizá se lo habían roto los niños de la pedrea. Por si volvían, tomó la bici, la apartó del camino y la escondió detrás de un arbusto. Le pareció que allí no quedaba suficientemente cubierta y se la llevó por el bosquecillo hasta unos matorrales muy disimulados.

DC

FUE UN INVIERNO muy frío. A mediados de diciembre cayeron las primeras nevadas, abundantes, hermosas y divertidas. Se organizaron unas peleas de bolas de nieve tan emocionantes, que había días que Bibi se olvidaba de mirar si la bici seguía donde ella la había dejado. Además, Quincho trajo un trineo muy bueno y moderno y organizaron juegos muy interesantes. Buscaron cuestas para deslizarse y, cuando iban por lo llano, Quincho tiraba del trineo, con Bibi montada encima, como si fuera un perro San Bernardo.

Luego, la nevada se convirtió en hielo, y todavía era más emocionante porque el trineo, cuesta abajo, corría como un bólido.

En cambio, la señora Angustias lanzaba unos suspiros desesperados, sin casi atreverse a salir de casa. Porque si resbalaba en el hielo, tenía miedo de romperse una cadera.

O sea, que a Bibi le parecía formidable resbalar sobre el hielo y, en cambio, a la señora Angustias le parecía una desgracia.

Rogelio, sin saber por qué, estaba muy triste.

Bibiana pensaba que eso de ser mayor era bastante complicado.

La nieve duró hasta que un buen día salió el sol y la derritió. A pesar de todo quedaron algunos montones, restos de muñecos de nieve, y la bicicleta de Elena oculta debajo de uno de esos montones, en una zona sombría del bosque en donde la nieve tardaba en derretirse.

De repente se puso a llover, y a Bibiana le dio tanta pena que una bicicleta tan buena se mojara, que a la salida de clase se lo dijo a Elena:

—Oye, tu bicicleta...

Le iba a explicar dónde estaba su bicicleta. Pero no era fácil hablar con la hija del Poderoso Industrial porque siempre estaba rodeada de chicas y chicos. Incluso había chicos mayores que venían de Madrid para verla.

—Oye, Elena, tu bici...

—¿Qué quieres, mona? —le preguntó Elena sin esperar respuesta, acariciándole la cabeza.

Se lo preguntó sin esperar respuesta, porque al mismo tiempo estaba hablando con un joven que no era del colegio. Eso lo hacía mucho; hablar con varias personas a la vez. A pesar de todo, a Bibiana no le caía mal. Con ella era muy cariñosa y, cuando había gente delante, le hablaba como una madrecita y le preguntaba por su padre. Bibi le repitió lo de la bici, y Elena le dijo:

—¿Qué pasa con la bici? Yo no tengo bici, mona; si la tuviera, claro que te la dejaría.

Bibiana pensó que a lo mejor le daba vergüenza que aquel chico, que casi parecía un hombre, supiera que montaba en bici.

—De verdad, Bibi, te la dejaba.

—¿Te llamas Bibi? —se extrañó el joven—. Qué gracia, nunca había oído ese nombre.

—¿Verdad que sí? —se entusiasmó Elena—. Es una monada de niña.

Y le largó un par de caricias perfumadas. Aunque olían distinto que las de la señorita Tachi, a Bibi, que era de buen conformar, le parecieron muy bien.

EL CASO ES QUE a la hora de comer llegó a su casa y le dijo a su padre:

—Papá, he decidido pedir la bicicleta a los Reyes Magos.

El padre estaba melancólico a más no poder. La miró muy fijo y le preguntó:

—Oye, Bibiana, ¿pero tú crees en los Reyes Magos?

—Sí —respondió sin dudarlo Bibiana—, hoy sí que creo en los Reyes Magos.

En cambio, Rogelio dudaba sobre lo que tenía que decir:

—Hombre..., hija..., yo también creo, pero pienso que los padres tenemos que ayudarlos un poco... ¿No crees?

—No te preocupes por eso, papá —le dijo con gran seguridad su hija.

Bibiana estaba tan segura porque después de la conversación con Elena se había dado cuenta de que no iba a tener mejor ocasión en su vida de conseguir una bicicleta *de ocasión*.

En definitiva, la idea se la había dado Quincho al explicarle lo que entendía él por una bicicleta de ocasión.

Aquella misma tarde, a una hora oportuna en la que no había gente por el bosquecillo, empujó la bici camino de su casa. Era una pena cómo la habían dejado las nieves y las lluvias. De seguir más tiempo abandonada, se hubiera convertido en un montón de chatarra.

Se sintió muy tranquila y satisfecha cuando dejó la bici en el sótano de su casa. Ésta era muy grande, con tres pisos, un sótano y el cobertizo junto a la huerta. Rogelio y ella sólo usaban dos habitaciones, más el comedor y la cocina. El resto lo tenían cerrado, con tanto polvo amontonado que, cuando la señora Angustias se asomaba a las zonas en desuso, se ponía a llorar:

—¡Ay, si lo viera tu madre! —le decía a Bibi—. Cuando ella vivía, lo tenía todo siempre reluciente. ¡Qué pena!

Bibiana tenía la impresión de que la pena de la señora Angustias era por el polvo acumulado, no porque ella no tuviera madre. Para la señora Angustias lo más importante del mundo era que las casas estuvieran muy limpias. Por eso resultaba una asistenta tan solicitada.

—¿Usted conocía mucho a mi madre? —le preguntó Bibi.

La vecina movió la cabeza afirmativamente en medio de suspiros dolorosísimos y sólo dijo:

—Era como una hija para mí.

Eso consoló a Bibi, porque, entonces, la señora Angustias podía ser como su abuela. La niña la quería mucho, pero la prefería como abuela mejor que como madre. Es decir, ella ya se había dado cuenta de que se podía vivir sin madre; pero, de tenerla, la hubiera preferido joven y guapa en lugar de una señora mayor, gorda y triste como su vecina. El caso es que dejó la bicicleta en un lugar donde era imposible que nadie la encontrara.

Durante una semana se las arregló para cuidar muchos niños en «La Chopera», hacer toda clase de encargos y guardar el dinero que le daban en un escondite muy particular. Cuando logró reunir dos mil pesetas, se fue a la tienda de bicicletas.

En ella compró todo lo que hacía falta para arreglar la suya: la bomba, el timbre, el faro, pintura...

—¿Y para qué quieres tú todo esto si no tienes bici? —le preguntó el dueño.

Lo malo de aquel barrio, que antes había sido un pueblo, es que todos sabían todo y preguntaban demasiado.

—Me la van a traer los Reyes —le contestó sonriendo la niña, que estaba decidida a seguir con su plan hasta el final.

PARA QUE A NADIE le extrañara que los Reyes le trajeran una bici, un día, mientras ayudaba a don Tomás, el cura, a poner el nacimiento en la iglesia, le preguntó:

—Don Tomás, si usted fuera yo, de pedir una bicicleta a los Reyes, ¿a cuál de los tres se lo pediría?

Se lo preguntó mientras sacaba de la caja, envueltas en virutas de madera, las figuras de los Magos de Oriente. Eran las más altas, hermosas y cuidadas del viejo nacimiento.

Don Tomás se quedó perplejo y le salió del alma decirle:

—Mira, hija, si yo fuera tú se lo pediría a los tres. Porque... ¡cuidado que es difícil que te la pongan!

Bibiana se sonrió al ver al cura tan escéptico. ¡Parecía como si no creyese en los Reyes...!

Ella sí creía. Sabía que, por lo menos en una ocasión, los Reyes habían traído los regalos en persona: cuando se los llevaron al Niño Jesús al portal de Belén. En otras ocasiones eran los padres los que los traían, pero suponía que, de algún modo, también los ayudarían los Reyes. En su caso, como no tenía madre y su padre estaba enfermo, los Reyes se habían valido de Elena Manzaneda que había dejado aquella bicicleta a su disposición. Por eso no se desanimó ante el escepticismo del señor cura.

Con su padre fue más terminante todavía. Cuando faltaban dos días para el seis de enero, le dijo:

—Papá, mira la carta que he escrito a los Reyes.

La sacó de un sobre y se la leyó:

«Queridos Reyes Magos:

Tengo once años, para cumplir doce, y creo que es edad de tener una bici. Como sé que andáis regular de dinero, la que me traigáis a mí no hace falta que sea nueva. Me conformo con que sea de segunda mano. De ropa ando bien, o sea que no hace falta que me pongáis nada. Un abrazo,

BIBIANA.»

Así que la oyó Rogelio, se quedó mudo y empezó a balbucear. Como Bibiana ya se lo figuraba, sacó otra carta y le dijo:

—No te preocupes, papá, que los Reyes ya me han contestado.

—¿Cómo dices? —preguntó Rogelio en el colmo del asombro.

—Sí, papá, mira lo que me han contestado:

«Querida Bibiana:

Nos ha parecido muy bien tu carta. Tendrás tu bicicleta, que es verde, color de la esperanza, y en cuanto a lo de que sea de segunda mano, no te preocupes porque apenas se nota. Un abrazo,

GASPAR, MELCHOR y BALTASAR.»

Era una contestación muy consoladora y no faltaba a la verdad, porque la bicicleta, después de haberla pintado con mucho cuidado, de haberle cambiado el timbre y el cristal del faro y de haberle puesto la bomba de hinchar, parecía completamente nueva. Mejor que nueva. Es más, Bibiana se alegraba muchísimo de haberla pedido de segunda mano, porque seguro que si la pide nueva, se la traen de niña pequeña. Y aquélla era de señorita.

Su padre la miraba muy fijo, con los ojos como platos. Pero Bibi no le hizo ni caso, porque cada vez estaba más convencida de que las personas mayores andaban muy despistadas por la vida. Y su padre, más.

No veía el momento de que llegara el día seis y, así, poder estrenar la bici. Se había limitado a montar un poco, sin sacarla del sótano para que no la vieran, y se había dado cuenta de sus enormes posibilidades. Era mucho mejor que la de Marta ya que, al ser más grande, con una sola pedalada se recorrían treinta metros. ¡Qué maravilla!

LA NOCHE DEL CINCO al seis de enero soñó que los Magos le traían la bici. Soñó sobre seguro porque, previamente, cuando su padre ya se había dormido, había sacado la bici del sótano y la había colocado en el comedor, junto a su zapato.

Apenas amaneció, se levantó de un salto. Abrió las ventanas y la luz del sol entró triunfante para iluminar la bicicleta.

—¡Papá! ¡Papá! —gritó en el colmo de la emoción—. ¡Me la han traído! ¿Lo ves? ¡Te lo dije! ¡Te lo dije!

Rogelio se despertó sobresaltado por los gritos, con la cabeza muy pesada por el vino de la noche anterior. De primera intención, al ver a su hija sobre la bici, sólo se le ocurrió decir:

—¡Y yo que creía que los Reyes eran los padres...!

Al poco tiempo entró la señora Angustias con un paquete. Así que la vio Bibiana, de contenta que estaba se le echó a los brazos como si en vez de una posible abuela fuera una madre. La mujer se emocionó y pensó que ya era hora de que el padre se hubiera decidido a comprarle una bici.

—Me alegro, hija —le comentó con un suspiro que no fue de los más tristes—. Lo que hace falta es que tengas cuidado, no te vayas a matar.

El paquete que traía la señora era de ropa.

—Toma —le dijo a la niña—, en mi casa sólo te han traído ropa.

Eso le pasaba a Bibi por no haberle leído la carta que escribió a los Reyes. La señora Angustias le traía tanta ropa de los chalés a los que iba a asistir, que no sabía qué hacer con ella. Además, le daba vergüenza ir casi tan elegante como Elena Manzaneda.

A todo esto, Rogelio se había levantado y, al acercarse a la bici, iluminada a pleno sol, se dio cuenta de que el maravilloso color verde, el de la esperanza, tenía algunos grumos. Entonces, como la ropa que le traía la señora Angustias era usada y la bici también, pensó que ambas cosas eran los «reyes» de la vecina.

Le dio tanta pena no haber contribuido en nada a la ilusión que le había hecho a su hija la bici, que se juró a sí mismo no volverse a olvidar de la fiesta de Reyes.

LLEGÓ UNA ÉPOCA de gran felicidad para Bibiana. La bici resultó mucho mejor de lo que pensaba. Al principio no se podía creer que con aquel suave pedaleo, que apenas requería esfuerzo, fuera de un sitio a otro con tal rapidez.

Nunca tenía pereza para ir a «La Chopera», o a la tienda, o a la iglesia, o adonde fuera preciso. Algunos niños se quejaban de las cuestas, pero ella ni eso, porque el esfuerzo que exigían quedaba ampliamente compensado por el disfrute de bajarlas a gran velocidad, cara al viento.

Como las señoras de «La Chopera» la veían ir y venir del pueblo tantas veces, empezaron a encargarle cosas. Unas, el periódico; otras, la mantequilla, el pan, etc. Más o menos, todas le daban alguna propina.

Un día, el quiosquero de los periódicos le dijo:

—Oye, ¿tú vas todos los días a «La Chopera»?

—Sí, señor.

—¿Te interesa repartirme los periódicos que mando allá?

—Sí, señor.

—¿Y, los sábados, las revistas?

—Sí, señor.

Bibiana era una niña a la que le gustaba decir *sí*.

El señor del quiosco puso un letrero que decía:

SE REPARTEN PERIÓDICOS Y REBISTAS A DOMICILIO

Cuando lo vio Bibiana, le dijo:

—Oiga, revistas se escribe con «uve», no con «be».

El señor la miró muy mosca, se lo pensó y le contestó:

—Pues hazlo tú.

La niña se quedó encantada, porque en trabajos manuales sacaba muy buenas notas y su especialidad era hacer murales con una letra que parecía de imprenta. Le hizo un anuncio en colores tan bonito, que al hombre se le quitó el mosqueo.

Bibi empezó a ganar tanto dinero que no sabía qué hacer con él. Lo primero fue comprarse una cesta metálica que colocó en el trasportín de la bici. Era formidable para llevar los paquetes de los recados. Los sábados y domingos la cargaba de periódicos y revistas. Muchas de éstas eran tebeos. Por eso, al repartirlos, les decía a los niños:

—Cuando lo termines de leer, me lo prestas.

Por tanto, tenía de todo: dinero, tebeos, comida... Como ganaba mucho y ya no tenía que ahorrar para la bici, en su casa nadaban en la abundancia.

Se compró también unos guantes muy buenos, porque por las mañanas las manos se le quedaban heladas sobre el manillar.

Todos los niños de la urbanización procuraban llevarse bien con ella, para que les trajera lo que le encargaban.

Bibiana se había convertido en una persona importante. Y eso que faltaba lo mejor. Se lo dijo Marta:

—Cuando llegue el verano, haremos una excursión al río en bici.

Lo mejor sería el verano. Sin colegio, sin frío, todo el día libre para montar en bici.

Bibiana preguntó:

—¿Y no podríamos ir a Madrid en bici?

Marta se lo pensó y le contestó dubitativa:

—No lo sé. Si convencemos a alguna persona mayor que nos acompañe, quizá.

LO QUE OCURRIÓ en clase de historia fue sorprendente.

Estaba la señorita Tachi explicando la lección de los Reyes Católicos, que era de las más fáciles. Bibiana procuraba atender muy bien para luego no tener que estudiar en casa, porque eso le quitaba tiempo para sus encargos y paseos.

—Los Reyes Católicos —decía la señorita—, aunque estaban muy unidos, cada uno tenía su personalidad. Los dos mandaban por el estilo. Por eso, la divisa de su escudo rezaba así: «Tanto monta, monta tanto, Isabel como Fernando».

Bibiana atendía muy bien y Quincho muy mal. O estaba

mirando a la niña, o a la ventana, o al techo. Pero era raro que mirase a la profesora. Ésta se dio cuenta, se acercó a él y le requirió:

—Quincho...

El chico se distraía tan a conciencia, que la señorita tuvo que insistir en tono más alto:

—¡Quincho! —éste pareció que se despertaba—. ¿De qué estábamos hablando? —le preguntó.

El desconcierto del muchacho era tan absoluto que la mayoría de la clase se echó a reír. A Bibiana le dio pena y le sopló por lo bajo:

—De los Reyes Católicos...

La señorita se dio cuenta y advirtió a Bibi con un tono gélido:

—¡Bibiana...!

El tono fue desacostumbrado para dirigirse a su preferida, pero es que Tachi consideraba el soplar como una inmoralidad y una ofensa personal a ella misma. Por eso Bibiana no pudo seguir ayudando a Quincho y sucedió lo que sucedió.

—Vamos a ver —continuó la profesora, molesta, dirigiéndose al chico—: ¿Sabes tú por qué el lema de los Reyes Católicos era el de «tanto monta, monta tanto, Isabel como Fernando»?

El muchacho, como quien sale de un sueño, dijo con gran seguridad:

—Porque tenían sólo una bicicleta para los dos, y por la mañana montaba Isabel, y por las tardes Fernando. Por eso decía la gente que «tanto monta, monta tanto, Isabel como Fernando».

El estupor de la clase fue tal que, de momento, se hizo un silencio total. Hasta que se rió el primero, luego otro, y otro, y toda la clase se convirtió en un júbilo generalizado.

Toda la clase menos Bibiana, ya que mientras Quincho decía lo de que tenían una sola bicicleta para los dos, la miraba a ella fijamente.

La señorita Tachi logró restablecer el orden con esfuerzo.

Luego, le adviritió a Quincho que esta vez no se lo iba a consentir y que hablaría muy en serio con su padre.
Cosa curiosa, el chico no parecía arrepentido.

BIBIANA SALIÓ del colegio con la cabeza baja. Procuró retrasarse y tomar su bicicleta disimuladamente. Pero no le sirvió de nada. En medio del camino forestal la estaba esperando Quincho.

—¿Tú qué te crees? —le dijo sin rodeos—. ¿Qué yo soy tan imbécil como mi hermana? ¡Esa bicicleta es suya!

Era el mes de marzo. Habían pasado más de dos meses desde que los Reyes le trajeron la bici, y nadie se había extrañado. Ni tan siquiera Elena Manzaneda. Cosa lógica, ya que la bicicleta, pintada de verde, no había quien la conociera. Pero, para su desgracia, a Quincho le interesaba todo lo de Bibiana, y tanto se fijó en ella que acabó cayendo en la cuenta.

Ahora, frente a la niña, quería hacerse el enfadado y por eso volvió a preguntarle:

—¿Qué te crees? ¿Qué yo también soy imbécil?

Bibiana no contestó ni que sí ni que no. Quincho, que aunque bruto era noble, reconoció:

—Lo que pasa es que tú la has pintado y la has arreglado y está mucho mejor que antes. ¿Le funciona el faro?

Bibiana asintió con la cabeza.

—Pues ya lo sabes —concluyó el chico—: para ti por las mañanas y para mí por las tardes.

—¿Cómo dices?

—Que ahora la bici es de los dos.

Aunque la idea de compartir la bici con alguien fuera horrible, a Bibiana le entró una curiosidad:

—Oye —le preguntó—, ¿y tú por qué no tienes bici?

Se lo preguntó porque le resultaba muy raro que el hijo del hombre más poderoso de la zona tuviera que compartir una bici de segunda mano con una pobre chica.

—Mi padre no me la compra porque saco malas notas.

—Claro —le dijo Bibiana sin afán de molestar—. Eres el más vago de la clase con diferencia.

—¡Ya! —admitió Quincho sin ofenderse—. Por eso no voy a tener una oportunidad como ésta de tener una bici. Aunque sea de segunda mano.

—Y... —le dijo Bibi con toda la cara— ¿por qué no se la pides a los Reyes como he hecho yo?

A Quincho se le puso cara de gran asombro, pero no entró en discusiones. Porque lo que más le ilusionaba de este mundo era poder compartir algo con Bibiana.

AUNQUE EL CHICO la había amenazado con repartirse la bici, la realidad fue que Bibi siguió usándola a su antojo. La diferencia estaba en que, ahora, Quincho se consideraba con derecho a pegarse a la niña. Esto también tenía sus ventajas, porque el chico era fortísimo, con unas piernas tan poderosas que podía subir las cuestas más empinadas pedaleando muy deprisa, con Bibiana sentada en el trasportín trasero.

—Oye —le comentó la niña—, de mayor podías ser ciclista.

—¡Ya! —admitió el chico—, lo que pasa es que voy a ser futbolista.

—Es mejor ser ciclista —insistió Bibi.

—Bueno, me lo pensaré.

Estaba claro que Quincho estaba dispuesto a cambiar de idea con tal de dar gusto a Bibiana.

También se preocupaba de que la bici estuviera siempre

bien cuidada y las ruedas muy hinchadas. Cuando tomaba el bombín para darles aire, parecía que, si quería, podía conseguir reventar las ruedas.

La verdad era que a Quincho el castigo de no tener bici le traía sin cuidado. Era lo mismo que lo de no tener balón, a lo que también estaba castigado. Quincho estaba castigado a casi todo, porque nada de lo que hacía le gustaba al Poderoso Industrial.

El castigo de no tener balón carecía de importancia porque, como era el que mejor jugaba al fútbol en el colegio, todos los chicos estaban deseando que jugase con ellos.

En cuanto a lo de montar en bici, nunca le había interesado demasiado; y cuando le apetecía, se la prestaba algún amigo. Tenía muchos amigos porque Quincho se llevaba bien con casi todos. Excepto con la señorita Tachi y con su padre.

—Oye —le preguntó Bibi—, ¿se ha enfadado mucho tu padre por lo que le dijiste a la señorita de los Reyes Católicos?

—No —le contestó el chico—, porque como mi padre no sabe quiénes son los Reyes Católicos, no comprendía que la señorita se hubiera cabreado por lo que dije.

—¿Que no sabe quiénes son los Reyes Católicos? —se asombró Bibi.

—No —contestó el chico sin extrañeza, porque conocía a su padre—. Lo único que le sorprendió es que unos reyes sólo tuvieran una bicicleta para los dos.

El caso es que se lo pasaban bastante bien juntos. Lo malo fue que Quincho se empezó a tomar confianzas y un día le dijo a la niña:

—Oye, me he inventado un verso. ¿Quieres que te lo diga?

Bibiana se quedó muy sorprendida porque no sabía que su amigo tuviera tales habilidades.

—Bueno —asintió.

El chico se puso un poco colorado y recitó:

«Estoy tan enamorado de ti,
que me gustaría ser moco
para estar en tu nariz».

A Bibiana le dio mucho asco, se enfadó, le insultó, y durante dos días no consintió que la acompañara.

ESTABA CLARO que a Quincho sólo le interesaba la bici como pretexto para estar con Bibiana. Si al chico le traía sin cuidado una bici, por buena que fuera, es de imaginar lo que le importaría a su hermana Elena, a la que sólo le faltaba año y medio para sacar el carné de conducir. Por eso, cuando abandonó la que fue suya en el camino forestal, ni volvió a acordarse de ella.

Sin embargo, esa bicicleta fue la causa del drama.

Todo empezó por culpa de Quincho y su manía de aprender a fumar.

Un día fue un médico al colegio a dar una conferencia a los mayores sobre los peligros de la droga. Elena se quedó muy impresionada al enterarse de que había señores que vendían «porros» y otras cosas peores a los niños, a la puerta del colegio. El conferenciante insistió mucho en que no convenía que los chicos fumasen, porque del tabaco se podía pasar al «porro».

Y fue la mala suerte que, cuando Elena llegó a casa, se encontró a Quincho, medio escondido en el garaje, intentando fumar un cigarrillo. Tenía muy mala cara, estaba pálido y mareadísimo. Elena se asustó mucho porque le pareció que su hermano tenía todos los síntomas descritos por el conferenciante en un «drogata».

—¡Qué haces, desgraciado! —le gritó alarmada—. ¿Estás fumándote un «porro»?

Los dos hermanos tenían la costumbre de gritarse por todo. Fuera de casa se portaban bien con los demás y eran simpáticos, pero entre ellos se hablaban como si se odiaran.

En peor momento no le pudo haber gritado. Quincho, para disimular su vergonzoso mareo, respondió con malos modos:

—¡Naturalmente! ¡Yo fumo lo que me da la gana! ¿A ti qué te importa?

Pero a Elena le importaba, ya que el conferenciante había indicado que eran, precisamente, los hermanos mayores los más obligados a velar por los pequeños. Por eso, aunque las broncas las arreglaban entre ellos, esta vez Elena se consideró en la obligación de contarle en el acto a su padre lo que estaba haciendo Quincho.

Antes de que le diera tiempo de explicarse, el Poderoso Industrial, aterrado ante la idea de que su hijo estaba fumando droga, le largó un par de guantazos de categoría. Cuando el chico logró aclarar que aquello que fumaba era un cigarrillo de tabaco corriente, el padre lanzó un suspiro de alivio y se limitó a darle otro bofetón, al tiempo que le advertía:

—¡Si llega a ser droga, te mato!

Elena había querido ayudar a su hermano. Pero por el hábito de gritarse, en lugar de hablar como personas, se desencadenó entre ellos una venganza de la que fueron víctimas, sin comerlo ni beberlo, Bibiana y su padre.

Porque Quincho interpretó que lo de su hermana había sido un vulgar chivatazo. Y así que recibió la tercera bofetada, decidió pagarle con la misma moneda.

—¿Pues sabes lo que te digo? —le gritó Quincho a su padre—. ¡Que el otro día, por la noche, la vi cómo se iba con un hombre a Madrid, a una discoteca!

En la casa del Poderoso Industrial estaban acostumbrados a gritarse, porque el primero que hablaba siempre a voces era el padre. Éste, que ya se había tranquilizado con la tercera bofetada y se marchaba del garaje, al oír aquella acusación se paró sin dar crédito a lo que oía.

—¿Quién se iba a Madrid a una discoteca? —gritó el hombre.

—¡¡Ésta!! —respondió en el mismo tono de voz Quincho.

Y para que no quedaran dudas, señalaba con el dedo a su hermana, que, por la palidez de su rostro, mostraba ser cierta la acusación.

El Poderoso Industrial se quedó clavado al suelo. Estaba acostumbrado a que le dieran malas noticias sobre el comportamiento de su hijo, pero de Elena no recibía más que elogios. Por eso la tenía tan mimada y le compraba cuanto quería. Apenas pudo balbucear:

—Y..., y... ¿cómo iba a Madrid?

—¡En el coche de ese hombre!

El Poderoso Industrial tuvo la impresión de que su hija querida había hecho de golpe y porrazo, en una sola sesión, todo lo que le tenía terminantemente prohibido, a saber:

— montar en coche con hombres desconocidos,
— salir de noche,
— ir a Madrid sin permiso,
— y bailar con extraños en las discotecas.

Después de tal acusación, Quincho, temeroso de la que se iba a armar, tomó la bici, que estaba en el fondo del garaje, e inició la escapada. Con tan mala suerte que fue uno de aquellos pocos días en que se había quedado con la bici, y en aquella hora se la tenía que devolver a Bibiana.

AL PODEROSO INDUSTRIAL no se le ocurría cómo empezar a reñir a su hija. Le faltaba el hábito.

Elena estaba asombrada de la maldad de su hermano.

La pequeña travesura de irse con un chico joven a tomarse una cerveza a Madrid —que estaba a quince minutos de «La Chopera»— a las siete de la tarde, la había contado como si se tratara de una escapada nocturna con un peligroso desconocido.

El Poderoso Industrial, inmóvil, esperaba que su hija le diera una explicación.

Y su hija no se atrevía a dársela porque temía, de la rabia, echarse a llorar. Y le daba mucha vergüenza.

Para salir del paso, no se le ocurrió otra cosa que interceptar a su hermano que se dirigía ya hacia la calle, montado en la bicicleta.

—¿Adónde vas con esa bici? —le gritó por desahogarse.

—¡A donde me da la gana! —fue la lógica respuesta de Quincho.

—¿Te crees que porque la hayas cambiado de color no me he dado cuenta de que es la mía?

—Pues te has colado —quiso salir del trance—. Esta bici es de Bibiana.

—¿Ah, sí? ¿Y de dónde la ha sacado esa desgraciada?

Si no hubiera estado tan enfadada, no se le hubiera ocurrido insultar a Bibiana.

Y si Quincho no hubiera estado tan asustado, no se le hubiera ocurrido decir la tontería que dijo:

—Se la han traído los Reyes.

Y huyó en la bici.

El Poderoso Industrial había seguido atento la discusión de sus dos hijos. Y cuando salió a relucir el nombre de Bibiana en relación con Quincho, sin dudarlo le gritó a su hija:

—¡Monta en el coche! Luego me aclararás lo de tu salida. Ahora vamos a coger a ese pájaro.

Y salió en persecución de su hijo, que había desaparecido como una flecha, calle adelante.

ROGELIO ESTABA PASANDO una de las peores temporadas de su vida. Y eso que no sabía la que se le venía encima.

Cada vez bebía más y el vino le sentaba peor. Para colmo, en el bar habían puesto una máquina tragaperras y no resistía la tentación de jugarse los dineros. Le daba mucha vergüenza coger lo que ganaba Bibiana y perderlo, estúpidamente, en la máquina. Pero no podía evitarlo. El tabernero, que era su amigo, le decía:

—Si lo llego a saber, no pongo el tragaperras. Te vas a arruinar más de lo que estás.

Pero Rogelio, así que oía el tintineo de la maldita máquina, tenía la necesidad de seguir echando monedas.

La noticia de esta afición llegó a oídos de don Tomás, el cura, que fue a visitarlo a la taberna.

—Mira —le advirtió—, desde que salvaste a la señorita Tachi, se ha parado la denuncia a la Junta de Protección de Menores. A la mujer le ha dado apuro continuar acusándote después de lo que hiciste por ella. Pero como sigas tirando el dinero que gana tu hija, voy a ser yo mismo el que te denuncie.

Rogelio estaba tan deprimido que no tuvo fuerzas ni para enfadarse con su amigo.

—Haz lo que te dé la gana —se limitó a decirle—. Por mí, si quieres, te puedes llevar a Bibiana. Estará mejor que conmigo.

Al cura le entró una pena tan grande que cambió el tono y quiso consolar a su amigo. Por eso se quedó un rato con él, en la taberna.

BIBIANA AGUARDABA en su casa la llegada de Quincho con la bici. Era un día hermoso del mes de abril, con la primavera recién estrenada.

Esperaba ilusionada porque se daba cuenta de que montar en bicicleta con buen tiempo era una delicia. Con la ayuda de Quincho había descubierto varios atajos de caminos de tierra que, además de acortar los viajes, tenían la ventaja de poder pedalear entre amapolas y margaritas.

En uno de esos días tan hermosos en los que todo olía tan bien, se llevó un sobresalto porque pensó que estaba enamorada de Quincho. El chico ya le había dicho que lo estaba de ella, en aquel verso horrible. Aquello no le había gustado, pero pocos días después le dijo, casi sin atreverse a mirarla:

—Oye, Bibi, eres guapísima, ¿sabes?

Fue entonces cuando se llevó el sobresalto, porque le pareció fenomenal que Quincho pensara así de ella.

Tanto le gustó que no le quedó más remedio que contárselo a la señora Angustias, porque a alguien se lo tenía que contar.

La mujer, entristecida, suspiró al tiempo que comentaba:

—¡Qué sabrá ese imbécil!

Luego, después de pensárselo un buen rato, continuó:

—Tú, hija mía, eres mucho mejor que guapa. ¡Eres una santa!

La niña se quedó preocupada, porque ella prefería ser guapa. Por lo menos en primavera...

EL PODEROSO INDUSTRIAL perseguía a su hijo en un coche enorme que le había costado siete millones de pesetas. Aunque era un poco roñoso, no le preocupaba, como es natural, que a su hija le hubieran quitado una bicicleta vieja; lo que le puso frenético fue saber que Quincho andaba con la hija de Rogelio. Porque Rogelio, el borracho del barrio, hubo un tiempo en que había sido su mejor amigo y hasta habían trabajado juntos.

Cómo serían de amigos que el Poderoso Industrial había sido testigo de boda de Rogelio. Cuando éste se quedó viudo y empezó a beber, tuvo mucha paciencia con él. Rogelio había estudiado profesorado mercantil en Madrid, y le era de gran ayuda. Sobre todo cuando el pueblo se convirtió en un barrio residencial de la capital y él empezó a hacer los grandes negocios con los terrenos y las construcciones.

Tanto necesitaba el Poderoso Industrial de Rogelio, que le prometió que, si dejaba de emborracharse, le haría su socio. Éste le hizo promesas que nunca cumplió; empezó a llevarle las cuentas tan mal, que si se descuida, le arruina. Acabaron teniendo unas peleas terribles. En una de ellas Rogelio estaba tan borracho que le dijo unas atrocidades que el Poderoso Industrial juró no perdonárselas nunca. Además, le prometió que haría cuanto estuviera en sus manos para echarle del pueblo y meterle en la cárcel.

No consiguió sus propósitos porque Rogelio tenía amigos que le protegían. A veces se olvidaba de sus amenazas, pero, en ocasiones, se cruzaba en la calle con Rogelio y éste le miraba con cara de burla, como si se riera de él.

El Poderoso Industrial tenía todo lo que se puede tener en este mundo y por eso era temido y respetado. Su única obsesión era que no se rieran de él. Lo repetía muchas veces: «¡De mí no se ríe nadie!».

PERSEGUÍA A SU HIJO, de momento con poca fortuna porque Quincho había salido volando y no se le veía.

Le preguntó en tono amenazador a su hija:

—¿Adónde ha podido ir ese canalla?

Elena iba muda. Aunque seguía furiosa contra Quincho, estaba arrepentida de haber dicho lo de la bici. La verdad es que había visto bastantes veces a Bibi sobre la bicicleta verde y no se le había ocurrido pensar que fuera la suya. De haberlo sabido, se la hubiera regalado a la niña, que le caía muy bien y tenía un padre muy guapo.

Fue al ver a Quincho en el garaje cuando se dio cuenta de que aquella era su bicicleta. Y si se la reclamó fue por distraer a su padre del tema del joven que la llevó a Madrid. Pero no comprendía aquella súbita furia y la persecución.

—¿Se habrá ido a casa de... del borracho de Rogelio? —le insistió el Poderoso Industrial manteniendo el tono colérico.

Elena se encogió de hombros, como asintiendo. El Poderoso Industrial dio un volantazo hacia el barrio de su antiguo amigo y, efectivamente, en la carretera vieron, a lo lejos, a Quincho pedaleando frenéticamente en dirección a la casa de Bibiana.

—¡De mí no se ríe nadie! —rugió el Poderoso Industrial.

Elena, poniéndose en lo mejor, pensó que su padre no consentía que su hijo se riera de él. Pero el Poderoso Industrial bien claro había dicho que no quería que se riera *nadie*. Es decir, ni Quincho, ni Rogelio, ni Bibiana. ¡Nadie!

Y se figuraba que todo el pueblo se estaría riendo de él porque su hijo salía con la hija de aquel golfo que a punto estuvo de arruinarle.

QUINCHO VIO EL COCHE de su padre justo cuando doblaba la callecita que conducía a casa de Bibiana. Era una calle estrecha del pueblo antiguo, y eso le dio alguna ventaja porque el enorme vehículo del Poderoso Industrial tenía dificultad para moverse por aquellas callejuelas.

El chico se escapaba para ganar tiempo. ¡Era su táctica en la vida! Cuando hacía algo que no le gustaba a su padre, procuraba desaparecer de su vista. Tenía comprobado que pasadas unas horas las bofetadas eran más suaves y los castigos más razonables.

Llegó al portal de Bibiana y allí estaba la niña, más guapa que nunca, peinada con cola de caballo, que era como más le gustaba a él. El pelo lo tenía muy negro y, sin embargo, los ojos un poco azules. Vestía una chaqueta de punto blanca, blusa azul, pantalones rojos. Se la veía ilusionada y le dio pena no poder acompañarla. Le gustaba mucho llevarla a todos los sitios, manejando él la bici y ella en el trasportín, rodeándole con los brazos su cintura.

Sintió el ruido del motor del coche de su padre y, sin perder tiempo, le pasó la bici a la chica y le conminó:

—¡Toma! ¡Corre! ¡Escóndela!

El chico pensó que si desaparecía él y desaparecía la bici, asunto concluido. Al menos, de momento. Pero la niña, con tan pocas explicaciones no podía entenderle.

—¿Pero qué dices? —le preguntó, conservando la tranquilidad—. ¿Te has vuelto loco?

Quincho le insistió:

—¡Haz caso de lo que te he dicho! ¡Mi hermana se ha enterado de lo de la bici y viene con mi padre en el coche!

Para Quincho, aquél era un incidente más de los que la vida le deparaba por no hacer, exactamente, lo que querían las personas mayores. Pero para Bibiana, la noticia resultó terrorífica. ¡Se habían enterado de lo de la bici!

Cuando vio desembocar frente a su calle el coche del Poderoso Industrial conducido por su colérico dueño, le pareció el doble de grande. Sin pensárselo dos veces, se montó en la bici e inició la escapada. A su vez, Quincho desapareció por una calleja.

EL APACIBLE ATARDECER en el casco antiguo del pueblo se rompió por un hecho insólito: el potentísimo automóvil del Poderoso Industrial perseguía a una niña aterrada que pedaleaba con toda su alma, huyendo no sabía bien de qué. El conductor tocaba constantemente la bocina, que sonaba como una sirena.

Bibiana huía, pero muy mal. Tenía la sensación de que la perseguían todos los coches del mundo y, en lugar de buscar una salida a través del campo, daba vueltas y vueltas por las callejuelas, mareada, enloquecida.

Las gentes, alarmadas por el bramido de aquella bocina, salían de sus casas para ver lo que pasaba.

La estampa del Poderoso Industrial al volante de su coche, con el rostro color de púrpura y, a su lado, Elena, pálida como la nieve, imponía respeto.

La imagen de Bibiana, jadeante, dando vueltas en zigzag, daba pena.

Lo malo fue que en el casco antiguo del pueblo estaban todos: el alcalde en el Ayuntamiento, el cura en el atrio de la iglesia, Rogelio en la taberna... ¡Hasta la señorita Tachi, qué mala suerte, estaba en la peluquería de la plaza!

Era una plaza pequeña, con una calle de entrada para coches y un arco de salida cerrado al tráfico. Allí fue a pararse Bibiana, agotada, incapaz de seguir huyendo no sólo del Poderoso Industrial sino de todas las gentes que, asomadas a los portales, a los balcones y ventanas, o paradas en las aceras, la miraban asustadas.

Se paró de espaldas a la gente, con la cara contra la pared, como para que no la vieran. Hasta que le llegó la poderosa voz del Poderoso Industrial.

—¡Niña! ¿De dónde has sacado esa bici?

Era tal el silencio de las gentes, que el vozarrón se difundió como un eco por todos los rincones de la plaza hasta llegar a las calles adyacentes: «Esa bici..., esa bici..., esa bici...».

Desde el sitio en donde estaba sentado Rogelio en la taberna, sólo se veía al Poderoso Industrial, que se había bajado del coche y esperaba una respuesta que no llegaba. Rogelio pensó: «¿A quién gritará ese imbécil?».

Pero don Tomás, con el corazón encogido, sí sabía a quién gritaba, porque desde el atrio de la iglesia se dominaba muy bien la pequeña plaza. Por eso bajó las escaleras en dirección a la niña.

El Poderoso Industrial repitió su pregunta:

—¡Te digo, niña, que de dónde has sacado esa bici!

A más de uno de los presentes se le puso un nudo en la garganta cuando vio que Bibiana, vestida de blanco y rojo, con aquellos ojos azul cielo llenos de lágrimas, apenas se atrevió a separar la cara de la pared, para musitar:

—Me la han traído los Reyes.

La brisa de la tarde repartió la tenue explicación de la niña por todos los rincones, y los que seguían la escena se alegraron. «¿Los Reyes, dice?», se comentaron unos a otros en voz baja, encantados de que aquella penosa situación se pudiera solucionar.

Pero el Poderoso Industrial no estaba para bromas y tronó:

—¡O sea, que a tu edad no sabes todavía que los Reyes son los padres!

En ese momento salió de la taberna Rogelio. Había oído que le gritaban a una niña y tuvo la corazonada de que podía ser la suya. Apenas le dio tiempo de mirarla, porque el Poderoso Industrial se dirigió a él con el rencor acumulado de muchos años y le dijo con gran satisfacción:

—¡O sea, que te dedicas a robar bicis para malcriar a tu hija!

—¡Pero qué dices! —le contestó despreciativo Rogelio—. ¡Yo no he robado nada!

El Poderoso Industrial estaba tan contento de cómo se le estaban poniendo las cosas, que soltó una carcajada más preocupante que sus gritos:

—¿Ah, no? ¡Elena! —llamó a su hija, que permanecía sentada en el coche, medio oculta, pasando uno de los peores ratos de su vida—. ¡Ven aquí!

Con la cabeza baja, sin atreverse a mirar a nadie, Elena obedeció. Cuando llegó al grupo, su padre le preguntó:

—¿No es ésta tu bici?

—Sí, papá —musitó la chica.

—¿No es cierto que te la quitaron antes de las Navidades?

A esta segunda pregunta Elena se limitó a asentir, deseando que terminara aquella situación cuanto antes.

El Poderoso Industrial, después de las aclaraciones de su hija, formuló su acusación con gran claridad y lógica:

—¡Tú —le dijo a Rogelio señalándole con el dedo—, lo que has hecho ha sido pintar la bici de otro color para disimular el robo!

EL ATARDECER alargó sus sombras hasta cubrir con ellas los corazones de los que presenciaban el drama.

Lo que decía el Poderoso Industrial era de sentido común. Si las personas mayores sabían que los Reyes eran los padres y a Bibiana le habían puesto una bicicleta robada, sólo la podía haber robado su padre.

De tan evidente que era, don Tomás cogió a Bibiana y se la llevó hacia su casa. A todo el mundo le pareció muy bien que quitase a la niña de en medio para que no viera lo que le iba a suceder a su padre.

Si Rogelio no hubiera estado tan borracho, quizá habría caído en la cuenta de lo sucedido con la bici. Pero frente a la acusación de su antiguo amigo, se puso a jurar de modo tan incoherente que los que le rodeaban no dudaron de su culpabilidad.

Incluso el alcalde, que quería ayudarle, no salía de su asombro y le increpó:

—Pero, Rogelio, ¿cómo has podido hacer esto?

Antes de que éste pudiera decir nada, intervino de nuevo el Poderoso Industrial, revolviéndose contra el alcalde:

—¡No hubiera sucedido eso si le hubieras metido en la cárcel a tiempo!

Lo dijo con la esperanza de que, por lo menos ahora, le metieran. Al alcalde le sentó mal esa acusación y contestó airado:

—¡Yo soy alcalde, no juez! ¡Y no soy quién para meter en la cárcel a nadie!

—¡Pero yo sí soy quién para terminar con esta situación!

Esta última frase la pronunció la señorita Tachi, que había seguido la penosa escena desde el portal de la peluquería. Cuando vio que el señor cura se llevaba a Bibiana, avergonzada, consideró que estaba más obligada con su alumna que con su padre, aunque éste le hubiera salvado la vida el día en que la raptaron.

Por eso, hecha una furia, se dirigió a Rogelio:

—¿Pero usted se da cuenta del daño que hace a la niña con esas cosas? ¡Engañarla, poniéndole por Reyes una bici robada!

—Yo no he hecho eso —musitó débilmente Rogelio, que no salía de su asombro.

En ese momento vio en primera fila a la señora Angustias, que contemplaba el drama con la boca tan abierta que no podía ni suspirar. Como en la mañana del seis de enero, cuando vio la bici junto al zapato de Bibi, creyó que se la habría traído la vecina lo mismo que le traía ropa usada, pensó que ahora podría aclarar la confusión. Y se dirigió a ella:

—Señora Angustias, explique cómo fue usted la que le puso la bici a Bibiana, por Reyes.

La señora, al tiempo que negaba dolorosamente con la cabeza, lanzó un suspiro prolongado y profundo que fue como la sentencia que condenaba a Rogelio.

Después del suspiro se hizo un silencio penoso, que rompió la voz fría y decidida de Tachi:

—Le advertí a usted que le denunciaría a la Junta de Protección de Menores y lo voy a hacer.

Los vecinos sabían que Rogelio había salvado la vida de la maestra, pero comprendían que ésta no podía consentir que Bibiana siguiera con un padre que le robaba el dinero para jugárselo en la máquina tragaperras. Y ahora, para colmo, lo de la bicicleta... ¡Pobre niña!

Pese a ello, a la gente le dio pena de Rogelio cuando preguntó a la maestra, en un balbuceo:

—¿Y... para qué me va a denunciar usted? ¿Para que me quiten a Bibiana?

—Eso espero —le contestó la maestra con toda la serenidad que pudo reunir—. Esa niña no puede seguir con usted.

Por un momento, Rogelio cobró fuerzas para rugir:

—¡Eso no!

Desesperadamente buscó con la mirada a los amigos que le podían ayudar, pero no los encontró. El señor cura había desaparecido con la niña. El alcalde le miraba serio, adusto. A él se dirigió, angustiado, Rogelio:

—¡Tú puedes impedirlo! ¡Eres el alcalde! ¡No le dejes hacerlo!

El alcalde negó con la cabeza, al tiempo que decía:

—No puedo hacer nada, Rogelio.

Perdido, como en una pesadilla, ante el mutismo de las gentes que, con su silencio, le condenaban, por conservar a su hija se rebajó a suplicar al Poderoso Industrial:

—Yo... te juro.... que no he robado la bicicleta.

La súplica le salió del alma y encogió el corazón de los que le escuchaban. Pero no el del Poderoso Industrial, que, saboreando su victoria, le dijo:

—¿De qué vale el juramento de un hombre que es capaz de robar los ahorros de su hija?

Y para que no quedaran dudas sobre sus intenciones, sordamente, por lo bajo, remató:

—¡Te lo advertí, Rogelio, de mí no se ríe nadie!

ROGELIO SALIÓ CORRIENDO de la plaza en busca de don Tomás, alocadamente, confiando en el cura como en su última esperanza. Pero no lo encontró. Vagó por las afueras desorientado, con la cabeza pesada por el vino y el corazón maltrecho por la vida.

Fue a dar a un antiguo abrevadero del ganado, en cuyas aguas turbias y verdosas se reflejó, con la misma color del verdín, su rostro de barba y cabellos descuidados, sus ojos mentirosos. Y su vida tan vacía, que decidió acabar con ella.

Para conseguirlo, introdujo la cabeza, y hasta medio cuerpo, en las aguas del abrevadero. Contuvo la respiración cuanto pudo, sintió la cabeza a punto de estallar, y confió que, si aguantaba un poco más, todo acabaría en breves momentos. La suerte fue que, cuando ya notaba los primeros síntomas de la asfixia, abrió la boca y le entró agua. ¡Agua...!

Llevaba tantos años sin probarla y le tenía tal aversión, que no pudo evitar sacar la cabeza del abrevadero, escupiendo el líquido, al tiempo que exclamaba:

—¡Qué asco!

Eso le salvó la vida. Al mismo tiempo, el remojón le disipó un poco la borrachera y, tumbado allí, solo, secándose al sol, comprendió lo que había pasado con la bicicleta. Le entró tal ternura por su hija que decidió conservarla junto a sí a cualquier precio.

CAÍA LA NOCHE cuando Rogelio volvió a su casa. Pasó por delante de la señora Angustias, que, así que le vio, hizo ademán de esconderse, pesarosa de no haber sabido mentir en el drama de la plaza. Pero Rogelio le hizo un gesto con la mano y sólo le preguntó:

—¿Está Bibiana en casa?

La mujer asintió con la cabeza.

Entró Rogelio en su casa, pero no vio a la niña. La llamó y no contestó. No estaba en su habitación. Buscó por todas partes y al final la encontró en el sótano.

Estaba sentada en un escalón, la cabeza apoyada contra la pared, dormida. Agotada de tanto llorar. Más guapa que nunca, con el rostro surcado de lágrimas secas. En la parte de su cara lavada por las lágrimas resaltaban las pecas.

Pensó dejarla dormir, pero un leve crujido de la escalera de madera fue suficiente para despertarla. Tal era el peso del miedo bajo el que se había dormido. Miedo que se reflejó en sus ojos al abrirlos y ver a su padre, al que suponía terriblemente enfadado por la trampa que había hecho con la bicicleta y los Reyes Magos.

—¡Perdóname, papá! —le suplicó—. Fui yo. Pero no la robé del todo..., te... lo juro. Elena Manzaneda había dejado la bici tirada en medio del camino... y los niños la estaban rompiendo tirándole piedras... Por eso..., por eso la cogí.

Al llegar a este punto, su balbuceo terminó en llanto y se echó en brazos de su padre.

—Perdóname, papá —insistía la niña. Y a su padre le hubiera divertido la cosa si no hubiese sido porque él también estaba llorando, aunque con disimulo—. Yo se lo explicaré a todos y lo comprenderán —continuó Bibiana entre convulsos sollozos—. Pero es que..., es que... en la plaza no podía hablar.

—Da lo mismo —la consoló su padre—, no te hubieran creído.

—Sí, papá, sí.

—Pues aunque te hubieran creído, yo seguiría siendo el culpable.

Lo dijo convencido de que él era el culpable de que estuvieran a punto de quitarle la niña. Lo de la bicicleta sólo era el pretexto.

—No, papá —se desesperaba Bibiana—. Yo lo contaré todo y me creerán.

Pero Rogelio ya tenía hecho su plan y se lo comunicó a la niña:

—Aunque te crean, da lo mismo. Nos tenemos que ir lejos de aquí. Ahora mismo. A un lugar donde no nos puedan encontrar nunca.

A Bibiana, del susto se le cortó el llanto.

—¿Irnos? —preguntó asombrada.

—¿Tú quieres que nos separen? —fue, a su vez, la pregunta de su padre.

—¡No, papá!

—Pues entonces tenemos que irnos para siempre.

AQUELLA MISMA NOCHE comenzó su huida, sin que Bibiana comprendiera bien el porqué. Como la niña ya no estaba en la plaza cuando intervino la señorita Tachi de forma tan amenazadora, creía que huían por lo de la bicicleta.

Rogelio, que sabía la adoración que sentía Bibi por la profesora, prefirió, para que no sufriera, ocultarle la verdad. Pensó que si supiera que era, precisamente, Tachi la que quería separarlos y que la metieran a ella en un colegio interno de la Junta de Protección de Menores, se le hundiría el mundo.

De todos modos, bastante hundido lo tenía ya la niña cuando, de noche cerrada, llegaron al centro de Madrid. Había tanta gente por las calles que el padre comentó:

—Aquí no hay cuidado de que nos encuentren.

Bibiana pensó que su padre tenía razón, pero le entró miedo. Apenas conocía Madrid, y el que ella conocía poco tenía que ver con aquél.

Rogelio intentó buscar una pensión de sus tiempos de estudiante, en una pequeña calle a espaldas de la Gran Vía. Pero de eso hacía muchos años y ya no existía. Se metieron en otra que localizaron por un letrero en el balcón que decía: *pensión de viajeros.*

Eso le gustó a Bibiana, que preguntó a su padre:

—¿Es que ahora somos unos viajeros, papá?

—Yo diría que sí.

Bibiana pensó que, para ser viajeros, llevaban muy poco equipaje. Su padre sólo le había dejado coger cuatro cosas que cabían en el viejo maletín.

—¿Y vamos a seguir viajando, papá?

—Depende de cómo nos vaya aquí.

Bibiana temió que no les iría muy bien en un sitio que estaba lleno de bares por todas partes, a los que su padre no hacía más que mirar y mojarse los labios con la lengua.

LA DUEÑA DE LA PENSIÓN parecía muy mayor, y tan triste, casi, como la señora Angustias. Antes de contestarles si tenía o no habitación disponible, los miró con mucho detalle.

—¿Sólo traen ese equipaje? —les preguntó con extrañeza.

A Bibi le pareció muy bien la pregunta, porque ya se lo había advertido a su padre.

A pesar de todo, la mujer les dio una habitación, por la que les hizo pagar una semana adelantada. También le extrañó que la que pagase fuera la niña, que, como es lógico, había tomado todos sus ahorros, incluso los secretos.

Aquella noche apenas le dio tiempo de entristecerse, porque estaba tan cansada que se durmió enseguida.

Cuando se despertó, creyó que todavía era de noche, por la oscuridad que reinaba en la habitación. Su padre roncaba. Como oyó ruido de coches en la calle y de gente andando por la casa, se levantó de la cama y se asomó a la ventana. Daba ésta a un patio estrecho y alto; sacando la cabeza, se veía arriba, por un recuadro de cielo, que ya era de día. Pero la luz del día no llegaba, ni llegaría nunca, a aquella habitación.

¡Qué tristeza! Qué tristeza le entró al ver a su padre vestido, tumbado de cualquier modo en la cama, señal clara de que, al dormirse ella, se había ido a beber a alguno de los muchos bares que habían visto al pasar.

La idea de tener que vivir mucho tiempo, quizá para siempre, en aquella habitación oscura, sucia, con una suciedad pringosa distinta de la suciedad polvorienta, alegre y luminosa de su casona del pueblo, le produjo tal pánico que decidió rezar.

Se puso de rodillas frente al cuerpo de su padre, y en esa posición la sorprendió la dueña, que entró en la habitación sin avisar.

Se le puso la cara de extrañeza habitual en ella y le preguntó a Bibi:

—¿Qué pasa? ¿Se ha muerto?

Su extrañeza era relativa, y por la forma de preguntar se veía que le parecía bastante lógico que su padre hubiera muerto de repente y ella estuviera velando su cadáver.

—No, señora —le contestó Bibiana cortésmente.

—Pues lo parece —le dijo la dueña. Luego, se acercó a la cama, olfateó y comentó—: Menuda cogorza que lleva éste...

Miró a la niña, pero sin la cara de compasión que ponían los del pueblo cuando se emborrachaba su padre. Bibiana casi lo prefirió.

—¿Y qué piensas hacer? —le preguntó la mujer.

—Ahora se despertará —le contestó Bibiana, que conocía muy bien las costumbres de su padre.

—Es que —le advirtió la mujer— si no os levantáis antes de las once, no se os hace la habitación. ¿Está claro?

Bibiana no dijo ni que sí ni que no, y la mujer continuó la aclaración:

—Si os levantáis más tarde, tendrás que arreglar la habitación tú.

—Vale —le contestó la niña, a la que no se le había ocurrido pensar que se la fueran a arreglar.

SUS REZOS DE AQUELLA MAÑANA surtieron más efecto del previsto por la niña.

Cuando por la mañana advirtieron la desaparición de Rogelio y de su hija, los vecinos, conmocionados por lo sucedido en la plaza, difundieron la noticia tan rápidamente que llegó al alcalde, a la señorita Tachi y al Poderoso Industrial casi a la vez.

Una mujer contó cómo, la tarde anterior, había visto el intento de suicidio de Rogelio en el abrevadero.

—Ese hombre está loco —comentaron todos a una—. Es un peligro para la niña.

Lo pusieron en conocimiento del Tribunal Tutelar de Menores, que ordenó la búsqueda y captura de Rogelio.

Cuando se enteró Quincho, le preguntó a su padre:

—¿Y qué le harán cuando le agarren?

—Espero que le metan en la cárcel.

—¿Y a Bibiana?

El Poderoso Industrial se puso rojo de furia al ver que Quincho se interesaba por la hija de aquel sinvergüenza:

—¡Lo que a ti no te importa!

Pero vaya si le importaba. Tanto, que pensó bajar a Madrid a ver si los encontraba para ponerlos sobre aviso.

BIBIANA REZÓ aquella mañana, y también por la tarde y al día siguiente. Le pedía a Dios y a la Virgen que los sacara, como fuera, de aquella pensión y de aquellas calles.

En la pensión, el padre se pasaba el tiempo durmiendo, y cuando se despertaba le decía a la niña:

—Voy un momento a la calle y ahora vuelvo.

Pero podía tardar horas en volver. Bibiana no se atrevía a moverse de la habitación, que sólo tenía las dos camas y una mesilla. Ella se sentaba sobre una de las camas, en esperas interminables. De vez en cuando abría la puerta la dueña, la veía así y le preguntaba:

—¿Qué haces?

—Nada —le respondía Bibiana.

La dueña movía la cabeza con extrañeza; y no le faltaba razón, porque era extrañísimo lo que estaba pasando. La niña maldecía la hora en que se le ocurrió tomar la bici.

Una de las veces que Rogelio le dijo que bajaba a la calle, la niña le rogó:

—Déjame ir contigo.

Se lo pidió porque no podía aguantar más tiempo encerrada. Salieron a la calle, y su padre lo primero que hizo fue entrar en un bar. Pero salió rápido. Menos mal.

Llegaron a la plazuela que está detrás del Palacio de la Prensa. A Bibi le pareció muy chica, y con mucha gente y ruidos. Pero, por lo menos, había niños jugando, y eso le pareció una maravilla, porque pensaba que en Madrid no se jugaba, ni se cantaba, ni se saludaba la gente por la calle.

Tuvieron la suerte de encontrar sitio en un banco, y se sentaron. A Bibi le satisfizo ver que los chavales jugaban al «balón prisionero», igual que en «La Chopera». Algún chico la miró de reojo, pero nadie la invitó a jugar. Su padre le dijo:

—Cómprate algo si quieres.

Se lo dijo porque había dos puestos con pipas y toda clase de chucherías. Bibiana le contestó que no le apetecía. Era mentira, pero es que estaba aterrada, viendo que el dinero se les acababa.

Era una tarde casi, ya, de verano, y Bibiana se empezó a encontrar a gusto porque le pareció muy interesante ver cómo jugaban los niños de la ciudad. Para el poco sitio que tenían, sacaban mucho partido a la plaza. Había un grupillo que jugaba un partido de fútbol en una esquina y otros hacían carreras de relevos alrededor de la plazuela. Soltaban muchos tacos y las madres no les decían nada.

Cuando empezó a oscurecer, se marchó bastante gente. En ese momento, unas niñas más o menos de su edad, que jugaban a la comba, se la quedaron mirando. Bibiana se dio cuenta de que les faltaba una, para dar.

—¿Quieres jugar? —le preguntaron.

Bibiana, disimulando la emoción, dijo que sí. Sabía saltar muy bien y no tenía problemas de entrar y salir a tiempo. Lo malo fue que se hizo de noche y las niñas se fueron antes de que pudieran hacer amistad. De todos modos, la que más mandaba le dijo al despedirse:

—Hasta mañana.

Su padre la había estado mirando cómo jugaba, animándola con una sonrisa cada vez que le tocaba saltar a ella. Cuando Bibiana volvió al banco a sentarse, le preguntó:

—¿Vas a volver mañana a jugar con esas niñas?

La niña hizo un gesto de duda y se quedó pensativa. La plaza estaba casi desierta, iluminada por unos faroles muy elegantes.

—Papá..., ¿y ya vamos a tener que vivir siempre así? —le preguntó.

—No, hija, nos vamos a ir a vivir a un pueblo muy bonito. El más bonito del mundo. En él conocí a tu madre.

Bibi se quedó muda, porque Rogelio nunca le hablaba de su madre. Nadie le hablaba de su madre. A tal punto que, cuando era más pequeña, llegó a pensar que, quizá, ella no habría necesitado de madre para nacer. Y se lo dijo a Rogelio:

—Oye, papá, una vez un chico en el cole me dijo que yo no había tenido madre.

Bibiana se daba cuenta de que lo que estaba diciendo era terrible, y, sin embargo, Rogelio se echó a reír.

—Mujer, quería decir que no la habías conocido. Porque yo no sé de nadie que no haya tenido madre.

—Pues me lo dijo —insistió la niña. Y en vista de que su padre estaba en buen plan, decidió desahogarse—: Me dijo que yo era una hija de...

La palabra aquella tenía cuatro letras. Era la peor de todas, y cuando aquel niño se la dijo, ella le había tirado un buen mamporro.

Su padre se la quedó mirando y, antes de que continuara, la cogió en brazos y le tapó la boca.

—¡No digas eso, hija! ¡Tu madre era la mujer más buena y más guapa del mundo!

Aquella buena noticia, que a saber por qué su padre se la había ocultado durante tantos años, en lugar de alegrarla la entristeció. O por lo menos, en la noche tibia y casi silenciosa de la gran ciudad, la puso meláncolica.

—Y... ¿por qué no la conocí yo?

Parecía que Rogelio no iba a contestar, pero después de una pausa lo hizo:

—Porque al nacer tú, ella murió.

Ahora comprendió Bibiana por qué la señora Angustias no le contestaba cuando le preguntaba por su madre. La niña, con un hilo de voz, insinuó:

—Entonces... ¿mamá murió por mi culpa?

Rogelio, abstraído en sus pensamientos, no la oyó, y Bibiana, como una reflexión en voz alta, continuó:

—Oye, papá, ¿y por qué me quieres tanto si por mi culpa murió mamá? Deberías estar enfadado conmigo.

La conversación, en la noche solitaria de la ciudad, no podía ser más triste. Sin embargo, a su padre se le puso una cara festiva al decirle esta atrocidad:

—Pues no, con el que me enfadé fue con Dios.

—¡Pero qué dices! —se escandalizó la niña.

—Sí, sí —continuó el padre con gran convencimiento—. Me enfadé con Dios y todavía sigo enfadado.

Con la esperanza de que lo anterior no fuera cierto, y para cogerle en su propia trampa, le preguntó Bibi:

—Y si estás enfadado con Dios, ¿cómo es que eres amigo del señor cura?

—Porque él dice que conseguirá que hagamos las paces.

—¿Quiénes? —insistió la niña.

—Dios y yo.

—¡Ah! ¿Pero es que Dios también está enfadado contigo?

Bibiana hacía preguntas muy razonables, pero su padre contestaba cosas muy raras. Ahora le respondió:

—Don Tomás dice que no, pero yo no estoy seguro.

No se podía seguir hablando con un hombre tan despistado, y Bibiana se levantó del banco porque le empezaba a dar miedo la soledad de la plaza. Pero su padre la retuvo un momento, la tomó por las manos y, cambiando el tono de la conversación, le dijo:

—Bibiana...

—¿Qué...?

—Tú nunca te enfades con Dios. Prométemelo.

A la niña se le puso un nudo en la garganta y lo más que pudo hacer fue asentir con la cabeza. A su padre le pareció suficiente y por eso le aclaró:

—Se pasa muy mal.

CUANDO VOLVÍAN para la pensión, el padre hizo ademán de entrar en un bar.

—Espérame un momento —le dijo, como de costumbre, a la niña.

Pero ésta le tomó del brazo y le rogó:

—Por favor, papá, no. Me da miedo quedarme sola.

El padre la miró, lo comprendió y, desistiendo, continuaron su camino.

Bibiana no podía estar más agradecida a su padre aquella noche. Primero le había contado lo de su madre; le había gustado mucho saberlo aunque fuera un poco triste. Y ahora no entraba en el bar porque ella se lo pedía. Además, en ningún momento le había reprochado la faena de la bicicleta.

La entrada en la pensión más triste y sucia del mundo no fue suficiente para quitarle el buen ánimo que llevaba. Pero sí lo fue lo que les dijo la dueña, que los aguardaba en el vestíbulo:

—Los esperan unos policías —luego, por lo bajo, comentó—: Ya me lo figuraba yo...

Junto a la puerta de su habitación había dos hombres de paisano. Al verlos, se levantaron de sus asientos y uno de ellos, cortésmente, sacando una placa, le dijo a Rogelio:

—Traemos una orden del Tribunal Tutelar de Menores...

Así que oyó lo del Tribunal, Rogelio tomó por un brazo a la niña y le gritó:

—¡Corre!

Dando ejemplo, empezó a bajar a grandes zancadas las escaleras que conducían al portal.

La niña, sorprendida, le siguió. Pero enseguida los brazos de uno de aquellos hombres la rodearon. El otro alcanzó a su padre en el portal. Bibiana cerró los ojos y oyó ruido de lucha.

—¿Pero está loco? —oyó decir a uno de los policías.

El que la sujetaba a ella la soltó para ir en ayuda de su compañero. Cuando se decidió a abrir los ojos, no pudo ni llorar de la angustia que le entró. Su padre estaba tumbado en el suelo sujeto por uno de los policías, mientras el otro le ponía las esposas. Rogelio jadeaba y miraba muy fijo al techo, con unos ojos muy abiertos en los que se reflejaba la desolación sin esperanza.

A ROGELIO, por resistirse a la autoridad, se lo llevaron a la comisaría, y de allí, directamente, al calabozo.

A Bibiana la dejaron en la pensión con la dueña y un policía, en espera de alguien que no le explicaron bien quién era.

Tenía la cabeza completamente vacía, sin comprender cómo era posible que se organizase tal escándalo por una bicicleta usada.

Para colmo, la dueña de la pensión, comida por la curiosidad, que no le quitaba ojo de encima, le preguntó de repente:

—Oye, ¿pero de verdad que ese tío es tu padre?

Le vino bien la pregunta, porque le entró tal pena de pensar que, encima, Rogelio no fuera su padre, que rompió a llorar. El llorar le vino bien, porque le dio sueño. Además, sirvió para que el policía advirtiera a la señora:

—Por favor, deje tranquila a la niña.

La niña se tranquilizó con el llanto y al poco tiempo se durmió. Se despertó frente al alcalde y la señora Angustias, que eran los que habían venido en su busca. Se abrazó a la señora Angustias como si fuera su madre de verdad. Luego, le contó al alcalde lo de la bicicleta.

—¡Se lo juro, señor alcalde, fui yo la que robé la bicicleta! ¡Elena la dejó tirada y yo la tomé!

El hombre le acariciaba la cabeza como para tranquilizarla, y lo más que le decía era:

—No te preocupes por eso; mañana hablaremos.

Pero Bibiana se dio cuenta de que no la creía y pensó que su padre tuvo razón al intentar escapar.

Volvieron al pueblo en el coche del alcalde. Al pasar por la plazuela en la que había jugado aquella tarde a la comba, recordó lo mucho que había rezado para que la sacaran de aquellas calles. ¡Qué locura!, nunca hubiese pensado que la pudieran sacar de aquella manera. Como para enfadarse con Dios. Pero no lo hizo porque se lo había prometido a su padre.

DURMIÓ EN CASA de la señora Angustias. En cuanto amaneció, sin dudarlo, se fue al chalé del Poderoso Industrial en busca de Elena.

Era muy temprano y la residencia estaba silenciosa. Pero Bibi no tenía tiempo que perder. Como sabía dónde estaba la habitación de Elena, se puso debajo y la llamó. Debía de estar dormida, porque la tuvo que llamar varias veces. Cuando se asomó y vio a Bibiana, se le puso cara de susto.

—Ahora bajo —le dijo.

Apareció en el jardín por la puerta de servicio, con un pijama tan elegante como para ir a una fiesta de noche.

Sin saludos previos, le exigió Bibiana:

—¡Elena, tienes que decir la verdad! Tú dejaste la bici tirada cuando se te salió la cadena, luego empezó a llover, los niños le tiraban piedras y por eso la cogí. ¡Porque tú no la querías! ¡Pero mi padre no ha sido!

Le dijo eso porque lo último que recordaba Bibiana de la terrible escena de la plaza era al Poderoso Industrial que acusaba a su padre de haber robado la bici, y a Elena afirmando que ésta le había desaparecido antes de las Navidades. Creía que si Elena aclaraba lo de la desaparición de la bici, dejarían a su padre en libertad.

Elena estaba tan asombrada que apenas pudo balbucear:

—Oye, Bibiana, si a mí lo de la bicicleta no me importa; de verdad. Además, eso ya no tiene nada que ver...

—¡Cómo que no! —la interrumpió Bibiana, que estaba muy nerviosa—. Por eso han metido a mi padre en la cárcel y a mí me quieren llevar a un colegio interna.

Elena ya lo sabía, porque la escapada de Rogelio y su hija había sido la comidilla del barrio. Aunque fuera doloroso, no le quedaba más remedio que explicarle la verdad a aquella niña.

—Mira, Bibiana, de verdad que eso no tiene nada que ver. A tu padre lo han detenido porque Tachi lo ha denunciado a una Junta que protege a los niños. Por eso te van a llevar a ti a un internado.

Era tan absurdo que la profesora quisiera que se la llevasen, que Bibi no se lo creyó. La llamó mentirosa, y Elena, en lugar de enfadarse, intentó volver a explicárselo. Con tan poco éxito que Bibiana, furiosa ante lo que le parecía un cúmulo de mentiras, se abalanzó sobre ella para pegarla.

Quincho, que oyó la bronca desde su habitación, bajó como un rayo al jardín, feliz de ver a Bibi. Sabía que a su padre lo habían metido en la cárcel, y temió que también pudieran meter a la niña. Como la vio tan furiosa, la sujetó e intentó tranquilizarla contándole la verdad.

—Es verdad, Bibiana; ha sido Tachi la que ha hecho la denuncia para que te lleven a ese colegio.

Al oírlo de boca de su amigo, no dudó ya de que fuera cierto. Por eso, en el colmo del asombro, preguntó:

—¿Pe... pero por qué?

Quincho no se andaba con rodeos y se lo dijo de sopetón:

—Dice que no puedes vivir con tu padre porque bebe y no trabaja.

Bibiana se quedó paralizada por el asombro. El único consuelo que se le ocurrió a Quincho fue decirle:

—Es una asquerosa la tía ésa.

Bibiana no recobró el habla, pero sí el movimiento. Dio media vuelta y salió corriendo. Quincho no la pudo seguir porque, al igual que su hermana, estaba en pijama.

SIN PARAR DE CORRER, se dirigió al colegio en busca de la profesora. Pese a la hora sabía que la encontraría, porque Tachi acostumbraba a ir muy temprano para corregir ejercicios. Por eso, sin guardar las formas, sin llamar tan siquiera a la puerta, entró directamente en la clase de la señorita, vacía de alumnos a aquellas horas.

Así que la vio Tachi, se le puso una cara parecida a la de Elena, mitad asombro, mitad susto.

—¿Es... es... verdad —jadeó Bibiana— que usted ha denunciado a mi padre?

La profesora se levantó de su mesa e intentó acercarse a Bibi, pero ésta retrocedió.

—Escucha, Bibiana, te lo voy a explicar...

Pero la niña no quería explicaciones y le volvió a exigir:

—¿Es verdad que quiere que me metan interna en un colegio de Madrid?

La señorita Tachi, desconcertada ante aquella Bibiana desconocida para ella, intentó ponerse enérgica:

—¡Escucha, Bibiana, es lo mejor para ti el ir a ese colegio!

¡Estaba claro! ¡Ya no le quedaban dudas! Elena y Quincho tenían razón.

—O sea, que es verdad que ha denunciado a mi padre —dijo Bibi, no como pregunta sino como confirmación de algo increíble.

—Era mi obligación hacerlo —le contestó la profesora intentando mantener su autoridad.

—¡Después de que mi padre le salvó la vida, cuando la raptaron! —le recordó la niña.

—Eso no tiene nada que ver —intentó explicarle Tachi con el corazón partido ante aquella niña tan desvalida.

Pero aquella niña tan desvalida le espetó con toda la crueldad de que fue capaz:

—¡Ojalá la hubiera dejado morir!

PARECÍA MENTIRA que en aquel comienzo de verano tan alegre, en que los ruiseñores, los mirlos y los petirrojos cantaban mañana, tarde y noche, pudiera haber tanta gente triste.

El alcalde había recibido un oficio de la Junta de Protección de Menores comunicándole que Bibiana debería ingresar en el internado de Madrid el lunes siguiente. En la nota se indicaba la ropa que tenía que llevar.

Elena la acompañó a comprar lo que le faltaba y, por si le servía de consuelo, le comentó:

—No me hablo con mi padre. Yo creo que ha tenido la culpa de lo que ha pasado.

Pero, claro, eso no le sirvió de consuelo a la niña. Ni tampoco el que le compraran un uniforme nuevo, parecido al de todos los colegios: jersey azul, camisa blanca, falda gris y zapatos negros. En cuanto a los calcetines, tenían que ser azules para el invierno y blancos para el verano. O sea, que estaba claro que se iba a aquel colegio para mucho tiempo. Seguramente para toda su vida...

—¡Jodé, no te pongas así, tía! —le decía Quincho, que, para no echarse a llorar, no hacía más que soltar tacos.

La tristeza de la señora Angustias era enorme, porque estaba convencida de que aquello era el fin del mundo. Por lo menos para ella.

—No creo que te vayas a pasar toda tu vida en el colegio —le explicaba a la niña—, pero lo que es seguro es que, para cuando tú salgas, yo ya me habré muerto.

LOS NIÑOS Y LAS NIÑAS de «La Chopera» se volcaron con Bibi. Marta, que tenía una bicicleta de *bicicros*, se la trajo y le dijo:

—Hasta que te vayas al internado, te puedes quedar con ella.

Rafa, el chaval de «Villa Polín», sin explicaciones, le dejó su bici una noche a la puerta de la casa.

Otros chicos y chicas le imitaron, y la víspera de irse al

internado, al levantarse, se encontró con más de una docena de bicicletas alineadas en la fachada de su casa.

A Bibi le entró una llantina tan dolorosa que ni le dio sueño. Quincho, que no se separaba de ella, la intentó consolar:

—Mira, cuando salgas del internado tendrás una bicicleta para cada día de la semana. A mí me prestas otra y podremos ir a pescar cangrejos al río.

Bibi siguió llorando y no le quiso decir al chico que había jurado no volver a montar en bici en toda su vida.

Don Tomás le decía:

—Tranquilízate, Bibi, todo se arreglará.

¡Claro, un cura qué iba a decir...!

Hasta el Poderoso Industrial estaba fastidiado porque su hija favorita no le dirigía la palabra.

En cuanto a la señorita Tachi, tenía tal tristeza desde el día en que Bibiana le deseó la muerte, que no le compensaba la satisfacción del deber cumplido.

FUE DON TOMÁS el que se ocupó de llevarla al internado que la Junta de Protección de Menores tenía en las afueras de Madrid.

Antes pasaron por la cárcel. El cura advirtió a la niña:

—Te llevo a ver a tu padre si me prometes que no vas a llorar.

La niña se lo prometió, convencida de que lo podría cumplir porque ya no le quedaban lágrimas.

Los pasaron a un locutorio de la prisión en el que los esperaba Rogelio. Estaba muy guapo, un poco pálido, pero mejor peinado de lo que en él era habitual.

—¡Caramba, Bibiana, qué elegante vas! ¿De dónde has sacado la ropa? —se admiró el padre con fingida alegría.

—Me la han comprado —fue la respuesta.

—Oye, pues pareces una señorita de verdad.

Era cierto; la pena y aquel uniforme oscuro de colegiala la hacían parecer mayor.

Bibiana luchó por cumplir su promesa, pero con poco éxito ya que el padre y la hija empezaron a discutir sobre quién era el culpable de lo sucedido. Empezó a llorar Bibiana, echándose en brazos de su padre:

—¡Ha sido por mi culpa, papá, por haber tomado esa bicicleta...!

—¡No digas tonterías! Ha sido culpa mía —le replicó Rogelio— por haber pegado a los policías.

Don Tomás, viendo que el padre estaba a punto de imitar a la hija en lo de las lágrimas, se salió discretamente de la habitación para que pudieran hacerlo sin testigos.

Eso le permitió a Rogelio ponerse en plan de padre, muy pedagogo, y decirle a la niña:

—Ya hemos aprendido dos cosas: primera, que no hay que enfadarse con Dios; y segunda, que no hay que pegar a los guardias.

Parecía mentira que un padre tan bueno, que daba consejos tan sensatos, no tuviera derecho, según la señorita Tachi, a vivir con su hija. A Bibiana le entró una pena tremenda al darse cuenta de que no podría perdonar en toda su vida, por muchos años que viviera, a la profesora. Es más, de mayor... ¡ya no sería profesora!

EN «LA CHOPERA» parecía que nunca iban a terminarse las lamentaciones por la pérdida de Bibiana. Todos la echaban de menos. Hasta que pasaron quince días y unos y otros empezaron a comentar:

—Quizá sea mejor para la niña estar en el internado. Con ese padre que tenía...

Decían «tenía», como si ya lo hubiera perdido para siempre. Sin embargo, Rogelio, al mes, ya estaba de vuelta en el barrio.

—Pero... ¿cómo es posible? —comentaba la gente respetable—. O sea, que al padre, que tiene la culpa de todo, le sueltan enseguida, y la niña, pobrecita, sigue encerrada.

A Rogelio le soltaron tan pronto porque, en definitiva, lo habían metido en la cárcel por pegar a uno de los policías que lo fueron a detener. Pero por eso, claro, no lo iban a tener encerrado de por vida.

Rogelio se fue derecho a ver a don Tomás. Lo encontró trabajando en el huerto. En lugar de saludarle, le preguntó:

—¿Sabes algo de Bibiana?

—Sí, claro.

—¿Qué tal está?

—Muy bien, muy bien. La voy a ver de vez en cuando. Es un colegio precioso, con jardines, campos de deportes...

—Entonces... —le interrumpió Rogelio— ¿está mejor que conmigo?...

—Hombre... —le contestó el cura, cauteloso.

—Tomas, yo no puedo vivir sin Bibiana. ¿Qué tengo que hacer para que me la devuelvan?

El cura notó a su amigo muy emocionado y, para que no le montara el número, lo echó a broma:

—¡Hombre! Lo que tienes que hacer es ser bueno —pero como vio que su amigo no estaba para bromas, le aclaró—: Mira, Rogelio, tienes que trabajar y dejar de beber. ¿Has seguido bebiendo en la cárcel?

—Psch... —admitió Rogelio—. ¿Sigues pensando poner aquella granja de conejos de la que hablamos?

Don Tomás negó con la cabeza y, como quien se lo tiene bien pensado, le contestó muy decidido:

—Tienes que volver a trabajar con el Poderoso Industrial.

—¿Con ese canalla? —se encrespó Rogelio—. ¡Antes prefiero morirme!

PREFERÍA MORIRSE, pero no perder a Bibiana. Por eso empezó a trabajar en las oficinas del Poderoso Industrial.

En cuanto a éste, cuando le propuso don Tomás que volviera a admitir a Rogelio, replicó:

—¿A ese golfo? ¡Antes prefiero arruinarme!

Prefería arruinarse, pero no que en su casa no le dirigieran la palabra, que es lo que sucedió cuando el cura les contó a su esposa, a Quincho y a Elena, que no quería dar trabajo a un pobre padre separado de su hija.

DURANTE LAS CLASES, Quincho se quedaba mirando el asiento de Bibiana, que seguía vacío porque nadie lo había querido ocupar, con tal melancolía que partía el corazón.

La señorita Tachi estaba muy rara. Atendía su clase con el rigor de costumbre, pero fuera del colegio no se trataba con ningún alumno. Ni, casi, con nadie del pueblo. Sin embargo, un día en que vio a Quincho tan melancólico, con la mirada perdida en el hueco que dejó Bibiana, le preguntó:

—Oye, Quincho, ¿has ido a ver a Bibiana?

—Sí, suelo ir cada semana, que es cuando autorizan las visitas —le contestó el chico, receloso.

—¿Tú crees que yo debería ir a visitarla?

Era insólito que la señorita Tachi, tan suficiente, pidiera consejo al peor alumno de la clase. Éste, sin dudarlo, contestó lo que pensaba:

—¡Ni hablar! Si Bibi la ve a usted, echa a correr.

Tachi se puso pálida como una muerta y se limitó a decirle:

—Te lo preguntaba por si podía ayudarla en algo, no porque tenga interés en verla. De todos modos, creo que en ese internado es donde más le conviene estar.

Desde ese día se encerró más en sí misma. Sólo salía de su casa para ir al colegio.

EN VISTA DE LO CUAL, una tarde fue a verla don Tomás. Mejor dicho, se hizo el encontradizo a la salida del colegio y le preguntó:

—¿Va usted hacia la plaza?

—Sí —contestó secamente la profesora.

—¿Le importaría llevarme en el coche?

Tachi asintió con un aire de extrañeza. El cura, que disimulaba muy mal, comentó, ya en el coche:

—¡Qué casualidad que la haya visto a usted! Así me ahorro una caminata a pie.

—¿Casualidad? —interrogó con retintín la profesora.

El cura, como si no hubiera oído nada, le preguntó:

—¿Sabe usted que el padre de Bibiana ha empezado a trabajar?

—Sí —contestó desaboridamente la profesora.

Don Tomás no se desanimó y continuó:

—Yo creo que es una buena cosa. A ver si así ordena su vida y Bibiana puede volver a vivir con él.

Tachi no dijo nada y siguió conduciendo con los ojos muy fijos en la carretera. De repente dio un frenazo y aparcó al borde de la carretera.

—Conque... eso es lo que usted quería, ¿no?

Don Tomás asintió, humilde, con la cabeza. Después de un silencio tenso, el cura dijo tímidamente:

—Mire usted, yo creo que Rogelio puede ser un buen padre si...

Pero la maestra, con ímpetu, le interrumpió:

—¡Como lo era el mío!

—¿Cómo dice? —se extrañó don Tomás.

—Yo tuve el mejor padre del mundo... cuando no estaba borracho. Pero cuando bebía, era horrible. Yo me escondía en lo más apartado de la casa y no quería ni salir. A mi madre la oía llorar y llorar...

Don Tomás estaba mudo oyendo la confesión de la profesora, inmóvil en el asiento. Tachi hablaba con gran decisión, con emoción contenida.

—Por las noches volvía muy tarde a casa, y una noche no volvió. Al día siguiente lo encontramos muerto en una alberca, ahogado. Pero cuando le hicieron la autopsia, el médico forense declaró que tenía dentro del cuerpo más vino que agua.

—Lo siento —musitó don Tomás cuando la señorita terminó su relato.

—Yo, de pequeña, fui muy desgraciada, y mi madre más todavía durante toda su vida. Por eso haré lo que esté en mi mano para evitarle ese calvario a Bibiana. ¡Aunque todos ustedes se empeñen en lo contrario!

Esto último lo dijo mirando muy fijo al cura, que, silencioso, parecía vencido ante el relato de la profesora. Sin embargo, reaccionó:

—Pero, vamos a ver, Rogelio ha empezado a trabajar...

—¡Ya me lo ha dicho usted! —le interrumpió tajante la señorita—. Pero sigue bebiendo. Es muy difícil que lo deje, si no imposible. ¡Es un alcohólico!

—Antes de quedarse viudo no bebía —continuó don Tomás, aunque con poco éxito, porque Tachi, muy excitada, volvió a interrumpirle:

—Yo no me meto en las causas. Lo que sé es que ese hombre le ha hecho mucho daño a Bibiana. Y a medida que la niña vaya siendo mayor, le hará mucho más, porque se dará más cuenta.

—Yo creo —arguyó el cura, que no se rendía fácilmente— que le ayudaría mucho a dejar la bebida la responsabilidad de tener que cuidar de la niña.

La profesora se rió con sarcasmo:

—¡Cuidar él de la niña! ¿No será al contrario? ¿Se olvida usted de que era Bibiana la que ganaba el jornal cuidando niños y haciendo encargos? ¿Se olvida usted de que su padre se lo gastaba en vino o jugando en la máquina tragaperras? ¡Qué vergüenza!

—Bueno —se defendió don Tomás ante el aluvión de reproches de la señorita—, pero ahora puede ser distinto.

—¿Por qué? ¿Porque tiene un trabajo? ¿Por cuánto tiempo cree usted que lo va a tener? Cualquier día se acostará más borracho que de costumbre, no irá a la oficina y le despedirán.

La señorita Tachi, con la misma brusquedad con que había parado el coche, lo puso en marcha y arrancó con un acelerón. Pero sin dejar de hablar:

—¡Cuidar de la niña! No me haga reír, don Tomás. ¿Ha visto cómo está la casa desde que se fue Bibiana? El otro día pasé por delante. ¡Parecía una cuadra! Para eso querrá traerse a la niña, ¡para que le limpie la casa!

Aunque don Tomás sabía que tenía la batalla perdida, no dejó de decir lo que pensaba:

—Pues yo creo que Bibiana estaría más feliz fregando su casa que encerrada en un internado.

BIBIANA no se hubiera sentido tan desgraciada en el internado si no hubiese sido porque creía que su padre seguía en la cárcel.

Y lo creía porque Rogelio había tomado una decisión extrañísima: no iría a ver a su hija hasta que le consintieran traérsela con él. Era como una especie de huelga frente a los que consideraba culpables de que la niña estuviera encerrada: el alcalde, el Poderoso Industrial, la señorita Tachi y el mismo don Tomás.

Quincho, su asiduo visitante, se lo explicaba, pero sin ningún éxito.

—Si mi padre no ha venido es porque sigue en la cárcel. Eso es seguro —argumentaba la niña.

—Te juro que no, mujer. Si no, que me muera ahora mismo.

Bibiana, con increíble crueldad, le decía fríamente:

—¿Y a mí qué me importa que te mueras?

—¡Jo, cómo eres! —se dolía Quincho, que era imposible que se enfadara por nada de lo que le dijera Bibiana. E insistía—: De verdad, mujer, ahora trabaja con mi padre, y el otro día me dijo que cuando viniera sería para llevarte con él.

—Entonces no vendrá nunca —le contestó ella en el colmo del pesimismo

—Pero... ¿tú eres tonta? —la animó Quincho—. ¿Qué te crees? ¿Qué te vas a pasar aquí toda la vida?

—No, toda la vida no —sentenció la niña—, porque cuando sea mayor me voy a meter monja.

—¡Jo, tía, no fastidies!

Pero tan preocupado se quedó Quincho con lo de meterse monja —lo que significaba que él se tenía que meter cura, lo cual no le apetecía nada—, que aquel día, cuando volvía de Madrid, se fue directamente a ver a Rogelio. Lo encontró en la taberna y le rogó que saliera un momento fuera. Ya en la calle le dijo:

—¡Es usted un mierda por no dejar de emborracharse!

Rogelio, de primeras, se quedó cortado. Pero luego, montando en cólera, le contestó:

—¿Pero tú que te has creído, mocoso? ¿Piensas que porque trabaje a las órdenes de tu padre tienes derecho a insultarme?

—En este asunto no tiene nada que ver mi padre. Lo que pasa es que yo quiero casarme con Bibiana —fue tal el asombro que se reflejó en el rostro de Rogelio, que el chico se apresuró a aclararle—: Cuando seamos mayores, naturalmente.

Lo dijo tan serio, tan convencido, que a Rogelio le entró una mezcla de risa y ternura.

—¿De mayores? Menos mal. Y... ¿Bibiana también quiere casarse contigo?

—No está muy clara la cosa —reconoció el chaval honradamente—. Es que yo soy muy mal estudiante, ¿sabe?

—¡Vaya por Dios! —se condolió Rogelio.

—Ya veremos —dijo filosóficamente Quincho, y a continuación atacó—: De todos modos, mientras no deje usted de beber, no hay nada que hacer. A Bibiana no la dejan salir de allí y, para eso, prefiere meterse monja.

Se lo dijo muy sentidamente, sin atreverse a mirar a Rogelio, que estaba desconcertado ante los razonamientos de su posible futuro yerno. A éste, de repente, le dio un pronto y le recriminó:

—¡Jodé! ¡Si es que es usted peor que mi padre! ¿Tanto le cuesta dejar de beber?

—¡Desaparece de mi vista! —le gritó Rogelio, que, de desconcertado que estaba, sólo se le ocurrió decirle—: ¿Te parece bonito hablar así de tu padre?

El caso es que no entró en la taberna y se fue directamente a su casa.

LA VIDA ERA UN ESTALLIDO de alegría con la llegada del verano; los niños se bañaban en las piscinas, sus madres se tostaban al sol y los padres iban y venían de sus oficinas de Madrid. Y por las noches, todos apagaban su sed con gigantescos recipientes de cerveza helada.

Todos menos Rogelio, sumido en la oscuridad de la abstinencia. Había dejado de beber, y por las noches tenía alucinaciones y pesadillas. El alcalde y el cura lo tenían que sujetar a la cama para que no se accidentara.

Tuvieron que avisar al médico, quien sugirió la conveniencia de que lo ingresaran en una clínica para una cura de desintoxicación de alcohol. Rogelio se negó. Temía que, si dejaba de ir a la oficina, el Poderoso Industrial tendría un pretexto para despedirle.

—Bien —se resignó el médico—, quitarse el vicio en casa le costará mucho. ¿Ustedes están dispuestos a ayudarle? —les preguntó al cura y al alcalde.

Los dos asintieron.

—Y yo también —suspiró la señora Angustias, que se había colado en la deliberación.

—Y yo —se oyó la voz de Quincho, que estaba fisgando desde la puerta.

—¡Ese imbécil que se vaya! —gritó desde la cama Rogelio, que le había tomado manía al chico por considerarle culpable del lío en que se hallaba para dejar de beber.

El caso es que el médico le recetó medicinas para ayudarle en su intento, y dio algunas instrucciones al equipo de ayudantes voluntarios.

El cura y el alcalde le entretenían dándole conversación y buenos ánimos; y cuando sufría un ataque de furia, le sujetaban. Incluso, en una ocasión, le tuvieron que atar con cuerdas a una silla.

La señora Angustias le preparaba lo poco que comía y también le ponía paños de agua helada en la frente.

Quincho, que no podía estar a la vista de Rogelio, era el que iba a comprar las medicinas a la farmacia.

Lo peor era durante el día, en la oficina, en la que no contaba con el equipo de ayudantes. El Poderoso Industrial, que no sabía nada del esfuerzo que estaba haciendo

Rogelio, le lanzaba pullas y le gastaba bromas sobre el mal aspecto que tenía. Lo cual era cierto, porque apenas comía y las medicinas que tomaba le daban sueño.

—¿Qué pasa? —le increpaba—. ¿Estás dormido? ¡A la oficina se viene a trabajar, no a dormir!

El Poderoso Industrial estaba convencido de que cualquier día Rogelio se aburriría y dejaría de ir por la oficina. Él habría cumplido, y su mujer y sus hijos ya no podrían reprocharle nada.

Después de diez días de infierno, Rogelio empezó a sentirse mejor. Se dio cuenta de ello una tarde en la que, al volver de la oficina, se quedó dormido. Y al despertar —era ya el anochecer—, oyó cantar en el ciprés del patio al ruiseñor.

—¡Qué bien canta! —musitó admirado, ya que durante aquellos días, que le habían parecido una eternidad, no había tenido sentidos para nada.

Aspiró y notó que la vida olía. A leña quemada, a rosas, a tierra recién regada, a la higuera del huerto y a la merluza rebozada que le estaba friendo en la cocina la señora Angustias.

—¡Qué bien huele ese frito! —le gritó a la mujer desde su cama—. ¡Dese prisa, que tengo hambre!

—¡Bendito sea Dios! —se puso a llorar la señora—. ¡Ya era hora de que comiera algo!

Y para que no quedaran dudas de su mejoría, en ese momento asomó Quincho la cabeza por la puerta de la calle. Así que le vio despierto, iba a echar a correr, cuando le detuvo Rogelio:

—¡Pasa, pasa, Quincho! ¡Sinvergüenza!

El chico, atemorizado, obedeció sin saber a qué se debía ese cambio. Rogelio, con seriedad fingida, le echó una bronca:

—Me he enterado de que no estudias y de que, encima, te quieres casar con Bibiana. ¿Pero qué te has creído? ¡En esta casa no queremos vagos ni borrachos!

EL PODEROSO INDUSTRIAL estaba mosca. En cuestión de pocos días empezó a notar el cambio en su antiguo amigo y, ahora, modesto empleado. Parecía haber recordado todo lo que había estudiado en la Escuela de Comercio y comenzó a llevar muy bien la contabilidad. Además, ya no se dormía en la oficina.

Lo comentó con el alcalde:

—Oye, ¿pero tú crees que es posible que el golfo de Rogelio vuelva a trabajar como antes?

El alcalde se llevó una alegría y le preguntó a su vez:

—¿Tú estarías dispuesto a declarar ante la Junta de Protección de Menores su cambio de conducta?

—Psch... —admitió el Poderoso Industrial.

El alcalde, hombre entusiasta y algo imprudente, se lo dijo a Rogelio:

—El Poderoso Industrial está dispuesto a declarar que ya eres un buen trabajador y un buen padre. Por lo tanto, si Tachi dice lo mismo, te devuelven la niña. ¿Qué te parece?

Rogelio no pudo decir nada porque se le puso un nudo en la garganta.

Lo malo fue que el alcalde visitó a Tachi sin comentarlo con el cura. A éste no le había parecido discreto hablarle de la muerte del padre de Tachi; por tanto, el alcalde ignoraba la resistencia que encontraría en la profesora. Ésta, así que le propuso el alcalde declarar a favor de Rogelio, se puso rígida, gélida, y le replicó:

—¡Están ustedes locos! ¿Pero qué se creen? ¿Que porque lleve quince días sin emborracharse ya está todo arreglado? Cualquier día puede volver a beber.

—¿Por qué? —se extrañó el alcalde.

—¡Porque los borrachos son así!

—No sabía que entendiese usted tanto de borrachos... —le dijo con una ironía que le sentó muy mal a Tachi.

—Más de lo que usted piensa —le contestó tajante, pero sin explicarle lo de su padre.

Fue una conversación confusa, irritada, que puso a Tachi histérica. Tenía la impresión de que en aquel pueblo todos eran unos insensatos, y se sentía en la más absoluta soledad para seguir defendiendo a una niña que, encima, la odiaba por lo que estaba haciendo por ella. Por eso, descompuesta, le gritó al alcalde:

—¡Si sacan a la niña, dentro de quince días o un mes la tendrán que volver a internar! ¡Y eso será peor! ¡No estoy dispuesta a sufrir todo lo que he sufrido para que, ahora, ustedes, por dar gusto a su amigote, saquen a esa pobre niña!

Al alcalde, que era muy mandón, le sentó muy mal la filípica. Se despidió de malos modos y, al salir, por lo bajo, pero que se oyó, le dijo no sé qué de «solterona».

¡Lo peor que le podían haber dicho!

COMO ES LÓGICO, Rogelio esperaba anhelante el resultado de la visita del alcalde a la profesora. Y junto a él Quincho, que últimamente se había espabilado y se enteraba de todo. Por lo menos de todo lo que se refiriese a Bibiana.

Cuando salió el alcalde de la escuela y les contó la conversación con Tachi, se les cayó el alma a los pies.

—Hay que tener un poco de paciencia —le dijo a Rogelio—. Yo creo que, si sigues sin beber, después del verano quizá cambie de opinión.

Pero Rogelio decidió no seguir sin beber. Entre otras razones porque la postura de la profesora le pareció tan horrible que temió que, si no se tomaba un trago, entraría en la escuela para matarla.

Se despidieron. Rogelio, disimulando, se fue al supermercado a comprarse una botella de vino con la idea de bebérsela a escondidas en su casa. La sed le quemaba la garganta.

Su disimulo no fue suficiente para evitar que Quincho le viera la maniobra. Sin dudarlo, desde una cabina pública, el chico avisó por teléfono al señor cura.

—¡Don Tomás! Rogelio se ha comprado una botella de vino en el supermercado y va camino de su casa.

Por eso, cuando Rogelio llegó a su calle, se encontró al cura sentado en un poyete que había a la puerta de su caserón. Instintivamente se puso la botella a la espalda.

Don Tomás tenía un aire reposado.

—¿Por qué escondes la botella? —le preguntó apaciblemente.

Le dio tanta rabia a Rogelio verse pillado en falta, que le contestó furioso:

—¡No me largues sermones!

El cura hizo un gesto de resignación, se levantó del poyete y le dijo:

—De acuerdo.

Y en lugar de echarle un sermón, se ladeó de izquierda, y con la derecha le largó un gancho al mentón que dio en tierra con Rogelio, inconsciente.

—¡Ay, Dios mío! —suspiró el señor cura—. ¡Qué poca cosa somos los hombres!

No quedó claro si lo dijo por su debilidad al recurrir a la violencia o por lo débil que tenía Rogelio la mandíbula.

Para que recuperase el conocimiento, tuvo que echarle medio botijo de agua por la cabeza y, luego, ponerle el pitorro en la boca para que bebiera.

Cuando Rogelio se recobró, escupiendo el agua trasegada, le recriminó:

—¿Te parece cristiano lo que me has hecho?

—Por supuesto —le replicó el cura con naturalidad—. Dar de beber al sediento es una de las obras de misericordia. ¿No tenías sed?

A PESAR DE TODO, don Tomás se volvió triste a la casa parroquial. De momento había conseguido evitar que su amigo bebiera —por lo menos aquella botella, que se rompió en la caída—, pero el sistema empleado no le parecía el mejor.

Para colmo se encontró con que la señorita Tachi le estaba esperando a la puerta de la iglesia.

—Acabo de tener una bronca con el alcalde —le dijo la mujer de buenas a primeras.

—Pues yo, con Rogelio —le contestó con las mismas don Tomás.

—¿Por qué? —se extrañó la profesora.

Don Tomás se encogió de hombros; no le quería decir lo de la botella. Además, pensó que lo mejor era quitarse de en medio en aquel asunto, y así se lo dijo a Tachi.

—Mire usted, yo soy el párroco y mi obligación es ocuparme de la vida espiritual de mis fieles. Y nada más. Si usted, que es la profesora de Bibiana, cree que debe seguir en el internado, lo sabrá mejor que yo.

—¡Pobre hombre! —fue el único comentario que hizo la señorita. El cura se quedó muy extrañado porque creía que se compadecía de él.

—¿Cómo dice? —le preguntó.

—Digo que me da pena el padre de esa niña. Parece ser que está haciendo un esfuerzo para regenerarse, y usted, su mejor amigo, no le comprende y encima se enfada con él. ¡Pobre hombre!

Don Tomás apenas pudo disimular su asombro.

Tachi, con aire abstraído, le comentó, como una reflexión en voz alta:

—Hay que pensarse bien qué es lo que más le conviene a esa niña.

CERRADO EL COLEGIO por las vacaciones de verano, Tachi disponía de mucho tiempo libre. Lo aprovechaba para ir de compras y pasear por las calles. Era inevitable que se encontrase con Rogelio.

Éste, desde que trabajaba en las oficinas del Poderoso Industrial, había renovado su vestuario. Se había comprado un traje de verano, dos camisas y una corbata. También se afeitó la barba. A pesar de todo, Tachi lo reconoció a la primera porque, desde el día en que le salvó la vida, no se olvidaba de él. El pelo, al llevarlo arreglado y limpio, había recobrado su color trigueño. Parecía un joven, pero en la mirada se le notaba que ya era un hombre maduro.

Se encontraron en la plaza. Tachi se puso un poco colorada y le dijo:

—Buenos días.

—Buenos días —le contestó, bastante cortado, Rogelio.

Nada más. Y, sin embargo, Rogelio se fue a ver al alcalde y le contó el encuentro.

—¿Y de qué habéis hablado? —le preguntó el alcalde.

—Nos hemos deseado los buenos días.

—¿Y qué más? —insistió el otro.

—¿Te parece poco? —fue la respuesta asombrada de Rogelio.

—Hombre, francamente me parece poquísimo —fue la lógica conclusión de su amigo.

A Rogelio no le parecía tan poco, porque, si bien el diálogo fue breve, se pararon, se miraron y hasta él llegó el perfume que tanto le gustaba a Bibi y, ¡qué casualidad!, a él también. Realmente, la profesora de su hija era muy joven. Y vestida de verano, lo parecía más todavía. Por eso se quedó asombrado cuando el alcalde, que aún seguía quemado por la bronca que había tenido con ella, se permitió decir:

—¡Valiente bruja está hecha esa solterona!

Tal perplejidad le produjo esta salida que luego le comentó a la señora Angustias:

—¿Usted cree que la señorita Tachi es una solterona?

La señora Angustias era una persona a la que daba gusto hacer confidencias porque sabía escuchar muy bien: muy callada, secándose siempre las manos en el delantal por tener la permanente sensación de que estaban húmedas.

—Hombre, Rogelio, soltera sí es —le respondió cautamente la mujer.

—¿Y qué diferencia hay entre una soltera y una solterona?

La señora se tomó un tiempo antes de contestar.

—Yo creo que solterona es la soltera que ha perdido la esperanza de casarse.

Se quedó tan encantada con su definición, que se permitió un suspiro.

—¿Y usted cree que la señorita Tachi ha perdido la esperanza de...?

Rogelio no pudo seguir porque notó una curiosidad irónica en la mirada de la señora Angustias, y, sin poder evitarlo, se puso colorado.

—Yo creo —contestó la mujer a la pregunta incompleta— que no habrá perdido la esperanza de casarse. Es muy joven... y muy guapa.

POR LAS TARDES, Quincho, para dificultarle ir a la taberna, se daba una vuelta por el caserón. Rogelio, que ya se había acostumbrado a su compañía, le preguntó aquel día:

—Oye..., ¿tú crees que la señorita Tachi es guapa?

—Psch... No lo sé, es muy mayor.

—¿Ah, sí? ¿Cuántos años tendrá?

—Yo creo que... más de veinticinco. A lo mejor, treinta. No lo sé, yo con la edad de las personas mayores me hago un lío.

A Rogelio le dio la risa y le comentó:

—A mí me pasa igual con la de los niños. Por ejemplo, ¿cuántos años tienes tú? Doce, ¿no?

—¡Trece! —le contestó Quincho, furioso—. Y, además, todo el mundo dice que represento más.

—Perdona, hombre —se disculpó Rogelio—. Y Bibiana, ¿cuántos tiene?

—¡Pero bueno! —se asombró el chico—. ¿Es que no sabe la edad de su hija? ¡Vaya un padre! ¡No me extraña que se la hayan quitado...!

—Claro que lo sé —se defendió Rogelio—. Lo que ocurre es que a veces se me olvida...

—Pues va a cumplir doce el próximo dos de diciembre —le puntualizó el chico—. Ya tengo pensado el regalo que le voy a hacer.

Tantas confianzas le daba Rogelio que, de repente, como el que se lo tiene muy pensado, le dijo:

—Oiga, Rogelio, se me ha ocurrido una solución para que *nos* devuelvan a Bibiana.

—¿Ah, sí?

—Usted tiene mucho éxito con las mujeres, ¿lo sabía?

Rogelio negó con la cabeza, pero el chico siguió:

—Pues sí. Lo tenemos comprobado. En el colegio, las chicas de COU y también las de BUP, por temporadas, dicen que están enamoradas de usted.

—¿Todas? —se alarmó Rogelio.

—Hombre..., no digo todas... La mayoría. Pero no se haga ilusiones; las chicas de mi colegio son unas idiotas. Cuando usted salvó a Tachi de los ladrones, decían las tías: «¡Qué suerte ha tenido! ¡Quién estuviera en su lugar!». ¡Son de pena!

En vista de que a Rogelio no se le ocurría ningún comentario interesante sobre lo que le contaba, Quincho fue al grano:

—Usted lo que tiene que hacer es ligarse a la Tachi... —como viera los ojos que ponía Rogelio, le tranquilizó—: ¡Ojo! No le estoy diciendo que se case con ella. Usted se la liga, y cuando la tía dé su permiso para que Bibi salga, pues la deja y ya está.

Quincho, pese a que se quedó un poco preocupado por la cara que se le había puesto a Rogelio, se atrevió a preguntarle:

—¿Qué le parece?

—Que por lo sinvergüenza que eres parece que tienes treinta años. ¡Largo de aquí!

CUANDO LLEGÓ el mes de julio y las gentes se empezaron a ir de vacaciones, el barrio se quedó tan desierto que parecía que las calles sólo estaban para que se tropezasen Rogelio y la señorita Tachi. Se saludaban, y, un día, Rogelio la ayudó a llevar la cesta de la compra hasta el coche.

Al atardecer se presentó Tachi en el caserón. Venía pensativa. Rogelio estaba leyendo bajo el emparrado del patio que daba a la calle. Ella, por todo saludo, le dijo:

—¿Me permite?

Y sin esperar respuesta entró en la casa.

Antes de que Rogelio pudiera reaccionar, vio que por la puerta abierta salía volando un cajón lleno de trastos viejos y polvorientos.

—¿Pero qué hace usted? —preguntó Rogelio, temiendo que la profesora se hubiera vuelto loca.

Ésta se asomó, tranquila y decidida, se sacudió las manos, se remangó una blusa que llevaba, muy bonita, parecía de seda natural, y le contestó:

—No querrá que vuelva Bibiana a esta pocilga, ¿no?

Sin más explicaciones volvió a entrar en la casa para sacar más trastos. Rogelio, sin decir palabra, con el corazón brincándole en el pecho, empezó a amontonar todo lo que iba sacando la maestra.

La extraña situación cambió cuando la maestra, alterada, apareció en el quicio de la puerta con una botella de vino mostrándosela a Rogelio con aire acusador.

—¡No! —se explicó éste—. Estaría perdida por ahí, de antes. Seguro que está vacía. Mire —la puso boca abajo y continuó su defensa—: Es muy antigua. Fíjese qué sucia está. Seguro que tiene sapos y culebras.

Sapos no había, pero sí salió del interior de la botella una pequeña lagartija que —¿quién lo iba a pensar de aquella mujer tan decidida?— le pegó tal susto a la señorita Tachi que ésta hizo dos cosas a la vez: gritar y echarse en los brazos de Rogelio.

Rogelio comprobó que, efectivamente, la señorita Tachi olía muy bien y era mucho más joven de lo que decía el imbécil de Quincho. Llevaba el pelo recogido y se había puesto un pañuelo a la cabeza para preservarse del polvo.

—Van a necesitar ustedes una asistenta.

Esto lo dijo la señora Angustias, que desde su casa había estado controlando la escena.

La profesora se puso colorada y se apartó de Rogelio, pidiéndole disculpas.

La señora Angustias miró hacia el interior de la casa, movió la cabeza, con pesimismo, y le comentó a la señorita:

—¿Usted cree que vale la pena limpiar a fondo una casa en la que vive un hombre solo?

ERA IMPOSIBLE que Bibiana estuviera mal en un colegio en el que había tantos niños.

En el internado los había de todas las edades, y en cuanto empezó a contar cuentos a los pequeños, se hizo famosa por el arte que se daba.

Les solía contar el de una niña que había robado una bicicleta, y que por su culpa habían metido a su padre en la cárcel. Era el cuento preferido de todos porque muchos de los internados tenían a sus padres en la cárcel.

Con los mayores jugaba al fútbol porque, aunque era chica, se le daba muy bien. Sobre todo de portero, ya que Quincho la tenía acostumbrada a parar unos balonazos terribles. Cuando jugaban, los de su equipo le cantaban:

Tenemos un portero que es una maravilla,
que para los penaltis sentada en una silla.

Era imposible, por tanto, que estuviera mal. Pero también era imposible que fuera feliz...

Quincho ya no la podía visitar porque se había ido con su familia a una playa de Galicia. Recibió una carta suya, pero tan mal escrita y con tantas faltas de ortografía que no se entendía nada. No le mencionaba a su padre, lo que le hacía suponer que era cierto su temor de que seguía en la cárcel. O quizá se había olvidado de ella; o había caído, por fin, en la cuenta de la faena que le había hecho con lo de la dichosa bici y estaba enfadado.

El caso es que por las noches se ponía a llorar, y menos mal que el llanto le daba sueño.

Para colmo se dio cuenta de que seguía queriendo a la señorita Tachi. Cada vez que se acordaba de lo que le dijo —«¡Ojalá mi padre la hubiera dejado morir!»—, le entraba tal angustia que se echaba a llorar.

Un día soñó que se despertaba y que su profesora le decía:

—Bibiana, ha venido tu padre a buscarte.

—No puede ser. Mi padre está en la cárcel.

—No, hija, está esperándote ahí fuera.

—No puede ser. Quincho me dijo que mi padre sólo vendría para sacarme de aquí.

—Es que ha venido para que te vayas con él.

Entonces le dio un ataque de histerismo y le gritó a la preceptora:

—¡No es verdad!

Y fue entonces cuando se dio cuenta de que no era un sueño. La señorita se enfadó y le dijo:

—¡Bibiana! ¡No te pongas así! Tu padre está ahí.

A través del ventanal se veía un paseo de tierra bordeado de acacias, que terminaba en la puerta de entrada. Bibiana no podía creer que no fuera un sueño. Junto a la puerta, una pareja estaba charlando; ella era igual que la señorita Tachi y él se parecía a su padre, más joven, sin barba y con un traje bastante elegante.

Decidió salir de la duda de si era su padre o no. Sin pedir permiso, echó a correr, salió al jardín y, cuando sus pisadas sonaron sobre el camino de tierra, el hombre levantó la cabeza; ya no le quedaron dudas; era su padre. Más guapo que nunca, con los brazos abiertos, con la sonrisa que sólo tenía para ella, tan alto que tuvo que dar un salto para agarrarse a su cuello. Tan fuerte que, así cogida, le empezó a dar vueltas hasta, casi, marearla. Y en cada vuelta veía la cara de la señorita Tachi, haciendo como que reía, pero con los ojos llenos de lágrimas.

Hasta que su padre, jadeante, también mareado, la dejó en el suelo. Y ella, dando traspiés, fue a caer en los brazos de Tachi. Ya no le quedó duda de que todo era realidad: aquel perfume, que olía a fresa, no se podía soñar.

Las Lomas (Madrid), 1 de mayo de 1985